소우주

소우주

발 행 | 2024년 01월 25일

저 자 | 김강오, 김민, 박시은, 이수민, 최지희(경기대학교 소모임 '글모이')

표지 | 박시은

펴낸이 | 한건희

펴낸곳 | 주식회사 부크크

출판사등록 | 2014.07.15.(제2014-16호)

주 소 | 서울특별시 금천구 가산디지털1로 119 SK트윈타워 A동 305호

전 화 | 1670-8316

이메일 | info@bookk.co.kr

ISBN | 979-11-410-6896-7

www.bookk.co.kr

소

우

주

목차

5

소모임 '글 모이'는 2023 년 11 월 6 일에 첫 정기 활동을 시작으로 총 두 번의 정기 활동을 했으며 그 외 세 번의 비정기 활동을 통해 본인의 글쓰기 능력을 향상했습니다. 3 개월도 안 되는 짧은 시간 속에서 결과물을 만들어 낸 모든 작가님의 이야기를 이 첫 번째 문집에 실었습니다. 모든 작품이 만족스럽지는 않겠지만 첫 시작을 알리는 문집이니 가볍게 음미해 주시길 바랍니다.

-글모이 1기 회장 최지희

김

강

오

겁쟁이

김강오

잘하고 있는걸까.
나는 잘하고 있는 것일까.
나는 잘 살아가고 있는 것일까.

싸구려 술에 기대.
술이라 하기에도 민망한 알코올 덩어리에 기대.
나는 오늘밤에도 부질없는 질문을 던진다.

텅빈 통장의 잔고를 바라보며 내일은 어떻게 버틸지 고민하고.
야윈 속은 소금을 안주 삼아 차가운 술로 달래가며.

시뻘개진 얼굴로, 나는 술기운에 기대 질문을 던진다.

나는 잘하고 있는 것일까.

누구하나 듣지 못한다는 것을 알고 있다.
누구하나 대답해주지 못한다는 것도 알고 있다.

하지만 누군가는 듣기를 바라며.
돌아오지 않을 대답을 기다리며.

나는 오늘도 술이 주는 위안에 취해 밤을 지새운다.

잘하고 있을거야.
잘 살고 있는걸거야.

떨리는 목소리로 중얼거리는 나는 겁쟁이다.
내일이 무서운 겁쟁이.

연쇄작용.

지각이다.

"……!"

　이상하리만치 상쾌한 기분, 창밖으로 들이치는 햇살, 서늘한 아침의 향기 속에서 눈을 뜬 나는 직감적으로 좆되었다는 것을 깨달았다.

머릿맡에 놓여있는 핸드폰을 쳐다볼 필요조차 없었다.

부재중 전화가 가득할 것이고, 동기들의 카톡과 디엠이 쌓여있을 것이 뻔했다.

다급히 침대에서 일어난 나는 모자를 눌러쓰고 외투를 걸친 뒤, 주머니에 핸드폰을 찔러넣고 황급히 집 밖으로 나갔다.

집 밖으로 나온 나는 다시 한 번 등골이 오싹해지는 기분을 느꼈다.

대학가의 위치한 자췻방은 언제나 아침이 되면 등교하는 학생들로 거리가 북작거려야했으나, 지금은 쥐새끼 한 마리도 없는 것 마냥 고요하였다.

대학가 곳곳에 위치한 카페에는 아침의 피로를 몰아내기 위해 독약을 타가는 학생들의 줄이 언제나 있었으나 지금은 그저 몇 사람만이 여유롭게 카페에 자리잡고 노트북 따위를 두드리고 있었다.

소름이 끼쳤다.

"예, 안녕하세요~."

황급히 지나가던 택시를 붙잡은 나는 택시 기사의 인사말도, 네비에 달린 시간도 애써 무시하며 외쳤다.

"기사님! XX대학교! 정문! 빨리요, 빨리!!"

그렇게 외치고 나는 안전벨트도 매지 않은 채 사정없이 다리를 떨며 창밖을 바라보았다.

고요한 대학가의 등굣길.

불안감이 미친 듯이 차올랐다.

이미 지각을 했기에 여유부려도 되지 않냐 생각할 수 있겠지만, 어느 수준을 넘어서 지각을 하면 결석으로 처리된다.

그리고 한 번 더 결석이 찍힌다면 나는 그대로 F를 받는 상황에 처해있었다.

안그래도 학고를 한 번 받았던 나는 손톱을 물어뜯으며, 알람이 울리지 않은 현실을 원망하였다.

'왜, 왜, 왜 알람이 안울렸지? 아침 8시. 분명 맞췄었는데? 어젯밤에 맞췄…… 아. 안맞췄구나.'

그러다 내가 알람을 맞추지 않았다는 사실을 떠올렸다.

어젯밤, 술에 취해 그만 알람 맞추는 것을 깜빡한 것이었다.

깨닫고나니, 미처 느끼지 못했던 숙취와 함께 분노가 올라왔다.

"망할 놈의 술!"

허벅지를 주먹으로 내리치며 무심코 소리를 질렀다.

"……허허."

소리가 컸는지 기사님이 룸미러를 통해 슬쩍 나를 쳐다보았고, 나는 내가 너무 흥분했다는 것을 자각했다.

부끄러움과 수치심이 몰려와 모자를 더욱 깊게 눌러썼다.

달달 떨리는 다리를 바라보며 생각했다.

'하, 씨…… 내가 어제 어쩌다가 술 마셨더라.'

뒤늦게 올라오는 숙취 때문에 머리가 지끈거렸고 안개가 낀 것처럼 기억이 흐릿하였다. 흐릿하고 드문드문한 기억을 천천히 더듬어갔다.

'어제 새벽 4시에 집에 들어갔고…… 그 전에는 종호랑 유석이랑 술 마셨었는데 왜 마셨더라…….'

하지만 아무리 생각해봐도 술을 마셨던 이유가 떠오르지 않았다.

착잡한 마음에 마른세수를 하자, 룸미러를 통해 나를 바라보던 기사님이 입을 열었다.

"학생, 왜 그래, 무슨 일 있어? 지각했을까봐 그래? 걱정말어~ 내가 이래봬도"

"아뇨, 그냥 숙취 때문에 어지러워서요."

기사님의 말에 대꾸하기 귀찮았던 나는 숙취 핑계를 대었다. 하지만 기사님은 생각보다 말이 많은 타입이었는지 딱딱한 대꾸에도 아랑곳하지 않고 말을 이었다.

"아…… 그려? 어쩌다 그렇게까지 술을 마셨길래 그래, 짝지한테 차이기라도 했어?"

"!!"

기사님의 시덥잖은 추측을 듣는 순간, 기억이 선명해지는 것을 느꼈다.

숙취로 인해 지끈거리던 머리의 두통이 흐릿해지고, 청각이 숙취가 불러오는 이명이 아닌, 오롯이 세상의 소리를 받아들이기 시작하였다. 시야는 확장되어 빠르게 지나가는 창밖의 풍경을 담고, 불안감에 치솟던 다리는 한순간 잠잠해졌다.

"……예, 그랬었네요."

정신 나간 사람처럼 멍하니 중얼거린 나는 선명해진 기억을 떠올렸다.

내가 술을 마셨던 이유는 바로 어젯 저녁, 여자친구에게서 이별을 통보받아서였다.

이유는 단순했다. 내가 그녀의 생일 약속에 무려 1시간이나 늦은 탓이었다.

왜 늦었는가 하면 조별과제가 늦게 끝나서였고 조별과제가 늦게 끝난 이유는 내가 조별과제에 모임에 늦어서였다.

"학생, 도착했어. 얼른 가봐야지. 지각할랴."

어느새 도착한 택시에서 내려 계산을 하고, 나는 강의실을 향해 미친 듯이 뛰기 시작했다.

숙취 때문에 속이 울렁거렸지만 무시하고 두 다리를 움직이며 나는 속으로 질문을 던졌다.

'왜 조별과제에 늦었더라.'

답은 곧장 튀어나왔다.

'조별과제 직전에 있던 수업에 지각해서였지.'

"……하악, 하아!"

'왜 수업에 늦었더라.'

나는 그 질문을 던지며 멈추어섰다.

거친숨을 몰아내쉬는 나의 눈 앞에는 강의실의 회백빛 문이 놓여있었다.

'그때도 늦잠을 잤었지, 알람을 안맞추고 늦게 일어났었어.'

차가운 손잡이를 잡고, 소리가 나지 않도록 최대한 조심스럽게 돌린 나는 강의가 한창이던 강의실로 몰래 들어갔다.

"……."

"……."

그러다 수업을 진행중이던 교수님과 순간 눈이 마주쳤다.

'자네는 지각일세.'

교수님의 입은 굳게 닫혀있었지만, 눈빛은 그리 말하고 있었다.

뒷자리에 앉은 나는 멍하니 거친숨을 몰아내쉬며 칠판을 바라보았다.

연쇄작용.

오늘의 강의는 연쇄작용에 대한 강의였다.

우연일까, 가슴이 찔리는 듯 하였다.

어제의 지각은 오늘의 지각으로 이어졌다.

그렇다면 오늘의 지각이 또다시 내일의 지각으로 이루어지는 것은
아닐까.

거친숨을 몰아내쉬며 나는 핸드폰을 꺼내 알람을 맞추었다.

감정 청소회사
-기자의 회상

"이걸 해, 말아."

나는 지금 일생일대의 고민을 하고 있다.

그 고민의 원인은 내 업무용 책상 위에 올려져있는 전단지였다.

감정 청소 회사

'상사의 구박, 친구의 짜증나는 푸념, 여자친구의 잔소리. 지치지 않으신가요? 어딘가에 당신의 짜증을 쏟아내고 싶지 않나요? 감정 쓰레기통이 필요하지는 않으신가요? 감정 청소부가 당신의 감정을

청소해줄 수 있습니다. 지금 당장 감정 청소 회사를 찾아오세요.'

-전화상담 : XXX-XXXX-XXXX
-비밀 완벽 보장.

감정 청소 회사, 처음 들어보는 이름이었다.

"……흠."

나는 오늘 아침, 집 근처에 위치한 역에서 나누어준 이 촌스럽고 특이한 전단지를 흥미와 호기심이 얼룩진 시선으로 노려보았다.

마치 다단계 회사에서 뿌려댈법한 전단지다.

감정 청소 회사라는 이름은 한 번도 들어본 적 없을뿐더러, 이 촌스럽고 구닥다리 같은 디자인은 전혀 체계적인 회사의 그것이 아니었다.
그래서인지 흥미가 어렸다.

기자라는 나의 직업 때문일까.

안그래도 부족한 기삿거리 탓에 아침마다 부장에게 구박을 받던 와중에 나에게 주어진 이 전단지는 흥미로운 기삿거리가 되기 충분해 보였다.

 '진짜 다단계라면 나름대로 다단계 잠입으로 해서 기삿거리가 나올 것 같고, 만약 다단계가 아니라 해도 이런 회사는 취재할 가치가 있잖아. 흥미롭고, 홍보료 명목으로 조금 뜯어낼 수 있고. 얼마나 좋아.'
 다만 곧장 취재하러 나가지 않고 이렇게 망설이고 있는 이유는 단순히 귀찮아서였다. 오늘만큼 추운 겨울날 밖으로 나간다는 사실 자체가 무척이나 귀찮고 피곤한 일이었다.

 '21세기가 되자마자 찾아온 한파인데 어떻게 나가겠냐고.'

 끼익.

 나는 마치 한량처럼 의자에 몸을 기대 늘어뜨리며 천장을 바라보았다. 그리고 오른손으로는 볼펜을 돌리고 왼손으로는 팔걸이를 두드린다. 고민할 때면 나오는 습관 같은 자세였다.

 툭, 툭, 툭.

 "……쯧."
 한데 팔걸이를 두드리는 소리가 생각보다 컸나 보다. 나를 흘긋 쳐다본 부장이 혀를 차며 눈알을 굴렸고, 나는 눈치를 살피며 다시 정자세를 취했다.

"……."

하지만 부장의 곱지 않은 시선은 계속해서 달라붙어 있었다. 무언의 압박. 지금 당장 취재하러 나가지 않는다면 대머리 부장이 집에서 아내에게 구박받아 생긴 스트레스를 나에게 쏟아낼 것이 분명하다는 직감이 들었다.

"취재 다녀오겠습니다!"
눈치가 빠른 나는 부장의 목울대가 움직이기 전에 재빨리 자리에서 일어나며 소리쳤다.

"……어."

다행히 타이밍이 늦지 않았는지 부장은 못마땅한 표정으로 대꾸했으며, 나에게서 시선을 돌려 서류 더미를 뒤적이기 시작했다.

"뺀질이 새끼…… 쯧."

대머리 부장이 작지만 확실하게 중얼거렸다. 못 들은 척 무시한 나는 책상 위에 올려져 있는 전단지를 챙겨 황급히 겉옷을 걸치고 회사 밖으로 나왔다.

"에잇, 대머리 부장 남아있는 머리카락도 빠져버려라."

회사에서 나와 가벼운 악담을 뱉어내고 있자 추운 겨울의 공기가 뺨을 훑어 지나가고, 끔찍한 소름이 등줄기를 타고 흘렀다. 코트의 깃을 여미며 찬 공기를 최대한 틀어막은 나는 근처 카페로 달려가 전단지에 적힌 전화번호로 전화하였다.

"어우 추워, 어우."

뚜르르…… 뚜르르…… 딸깍.

뜨거운 커피를 주문하고, 최신형 폴더폰의 신호음이 세 번쯤 우릴 무렵 상대방이 전화를 받았다.
"감정 청소 회사입니다. 무엇을 도와드릴까요."

꽤 무게감 있고 단단한 남성의 굵은 목소리가 전화기 너머로 흘러나왔다. 다단계 회사 특유의 그 느낌은 아니었다.

'생각보다 제대로 된 회사 같은데?'

때마침 카페 직원으로부터 뜨거운 커피를 받아든 나는 목소리를 가다듬고 대답했다.

"흠흠, 예 안녕하세요. 선생님. 저는 성진일보의 조하영 기자라고 합니다. 다름이 아니라 선생님께서 다니시는 회사에 대해 취재하고 싶어 연락드렸습니다. 혹시 전화할 수 있으실까요?"

굳이 처음부터 신분을 밝힌 이유는 두 가지였다. 첫째는 기자라는 신분을 밝혔을 때 상대가 전화를 꺼린다면 이 회사가 다단계일 가능성이 높았기 때문이었고, 둘째는 아무래도 전화를 받은 이가 고객센터나 인사과의 사람 같은 느낌이 아니라 회사의 중요인물처럼 느껴졌기 때문이었다.

'단순한 직감이지만 직감은 언제나 옳지.'

대머리 부장의 구박을 피할 때도 도움이 되었던 직감이었다.

"예, 가능합니다. 한데 무슨 취재를 말씀하시는 겁니까."

"아유 별거 아닙니다. 그저 선생님 회사가 무슨 일을 하는지 취재하고 기삿거리로 쓸까 합니다. 기사가 나가면 홍보도 될 테니 선생님에게도 나쁜 제안은 아닙니다. 아! 그리고 소정의 감사 표시 또한 드릴 예정입니다."

"……그렇습니까."

"예, 그럼 잠시 몇 가지만 여쭙겠습니다……"

그 이후로 나는 전화기 건너편의 남성과 건설적인 대화를 나누었다. 아니나 다를까, 나의 직감대로 전화를 받은 상대는 감정 청소 회사의 사장이었고, 그는 잠시 고민하다 흔쾌히 취재를 받아들였다. 1시간 뒤에 방문 약속을 잡은 나는 전화를 끊고 안내받은 주소로 향하기 위해 자리에서 일어나 남은 커피를 들고 거리로 나왔다.

'그런데 원래 전단지에 사장 번호를 떡하니 적어놓나?'

택시를 잡기 위해 정류장에 서서 한참을 택시를 잡다, 문득 의문이 생겼다. 하지만 곧이어 잡힌 택시 탓에 의문은 차가운 겨울철 커피의 온기처럼 순식간에 사그라들었다.

■■

30분가량 택시를 타고 이동하자 안내받은 건물에 도착할 수 있었다. 감정 청소 회사라는 거창한 이름과는 달리 그리 큰 건물은 아니었다. 끽해봤자 3층짜리 오래된 상가. 심지어 상가 건물 전체를 쓰는 것도 아닌, 사무실 하나를 빌려 쓰는 형태였다.
'이건 그냥 사무실 아냐? 다단계도 얘네보단 클 텐데…… 아씨,

똥 밟았나. 괜히 공짜로 홍보만 해주는 거 아냐?'

어딘가 불길함이 느껴졌다. 감정 청소 회사라길래 생각보다 규모가 있을 줄 알았는데, 아니었다. 끽해봐야 직원은 2명이지 않을까. 물론 그것도 회사라고 표현할 수 있지만 내가 생각했던 회사는 으리으리한 건물을 통째로 사용하는 그런 이미지였다.

"어휴, 일단 들어가자."

하지만 여기까지 와서 내빼기에도 뭐한 상황이었다. 이대로 돌아가면 택시비를 땅바닥에 버릴 뿐만 아니라, 대머리 부장이 저번 주에 산 골프채를 아내에게 들키며 등짝이 터져라 얻어맞은 스트레스를 나에게 풀 것이 자명했다. 나는 한숨을 내쉬며 상가로 들어섰다.

낡은 상가는 안타깝게도 엘리베이터가 없었다. 때문에 3층에 있는 사무실을 찾아가기 위해, 나는 팔자에도 없는 계단을 올라야 했었다.

"하, 씨."

운동 부족의 몸은 3층 높이의 계단에도 호흡을 거칠게 만들며 엄살을 부렸다. 평소대로라면 이쯤에서 나는 피로와 귀찮음을 느끼고 농땡이를 피우러 갔겠지만, 오늘은 스트레스를 받은 부장 때문에 회사에 일찍 들어가서는 안 되었다. 코트를 벗어 팔에 걸친 나는 인상을 찌푸리며 감정 청소 회사라는 간판이 달린 사무실 앞까지 도달했고, 넥타이를 살짝 풀며 영업용 미소와 함께 문을 두드렸다.

똑, 똑.

"들어오세요."

전화로 익히 들었던 목소리가 사무실 안쪽에서 들렸다. 허락이 떨어지자 문을 열고 들어선 나는, 사무실 한쪽에 놓인 책상에서 일어난 한 남성이 나를 향해 다가오는 것을 볼 수 있었다.

"전화 주셨던 기자님입니까."

흰색 와이셔츠에 회색빛 슬랙스, 암녹빛의 넥타이를 맨 남성, 목소리가 같은 것이 아마 전화했던 사장처럼 보였다. 사장은 목소리에서 느껴졌던 무게감 있는 목소리와 조금 어울리지 않게 평범한 인상이었다. 아니, 흐릿하다고 해야 할까. 뭐랄까, 분명 두 눈으로 보고 있는데 안개가 낀 것처럼 흐릿해 뭐라 설명하기 어려웠다. 유일하게 기억할 수 있는 것은 사장의 잿빛 동공뿐이었는데, 그마저도 무기질적인 시멘트벽과 같은 느낌이었다. 마치 사람이 아니라 기계를 보는 느낌. 그래서인지 조금 무서워 보였다.

"……예? 아, 예. 맞습니다."

잠깐 멍을 때리다 정신을 차린 나는 다단계조차도 눈치채지 못한 가식 웃음을 유지하며 지갑에서 명함을 꺼내 사장에게 건넸다. 손이 조금 떨렸나 싶었는데 사장은 그다지 신경 쓰지 않는 듯하였다. 명함을 건넨 나는 사장이 명함을 품에 넣는 사이, 그의 뒤편으로 보이는 사무실 내부를 살펴보았다.

"……."

그리고 하마터면 영업용 미소를 잃고 표정을 구길뻔했다. 다단계를 취재할 때조차 유지했던 그 미소를 말이다.

'이딴 게…… 회사?'

사무실은 내 예상보다도 더더욱 처참한 모습이었다. 그래도 직원이 2명은 있지 않을까 싶던 내 예상은 개뿔처럼 들어맞지 않았다. 직원이라고는 눈앞의 사장 혼자였고, 사무실은 마주 보는 두 개의 소파와 식탁, 그리고 낡은 책상이 전부였다. 그 외에는 온통 새하얀 벽지로 도배되어 정신병원 같은 느낌이 들었다.

'제대로 똥 밟았구나.'

"괜찮습니까."

정신이 아득해지는 기분이었지만, 가까이 다가온 사장 탓에 나는 혀를 짓씹어 정신을 차리고 다시 영업용 미소를 지어냈다.

"아, 예. 물론입니다. 사무실이 너무 좋아 보여서 그만 한눈을 팔아버렸습니다."

새빨간 거짓말이었지만 면전에 대고 '당신네 사무실이 너무 거지 같아서 충격받았다. 기사로 내보내기에는 격이 안 맞으니 돌아가고 싶다.'라고 내뱉을 수도 없었다. 사실 사람 같지 않은 사장의 모습 때문에 어딘가 묘한 위압감 같은 것은 느껴져 말하지 못한 것도 있었다.

"그렇게 말씀해주시니 다행입니다. 사무실이 너무 휑해서 혹여나 오해하실까 싶었는데 말입니다."

"하하, 오해라니 무슨 말씀입니까."

'……오해가 아니라 있는 사실 그대로 아무것도 없잖아. 이 사람아.'

하지만 아무리 무서워도 할 말은 하는 것이 기자의 신념. 나는 웃음을 유지하며 속으로는 사무실을 욕하였다. 물론 입 밖으로는 절대 내뱉지 않았다.

"업무 특성상 쓸모없는 가구들이 필요하지 않습니다."

"그렇군요."

자리에 앉아 본격적인 취재를 시작하며, 나는 품에서 수첩을 꺼내 들어 사장의 말을 기록하기 시작하였다.

"그렇다면 어떤 업무인지 정확히 설명해주실 수 있을까요? 감정 청소 회사라는 이름만 알지 제가 자세히는 알지 못해서 말입니다."

"저희가 하는 일은 말 그대로 사람들의 감정을 청소해주는 일입니다. 감정이란게 쌓이기는 쉽게 쌓이지만 비우기는 또 쉽지 않습니다. 예를 들어 회사에서 구박을 받아 생기는 짜증 같은 것들은, 쌓이기는 너무 쉽지만, 막상 그 짜증을 풀려 하면 잘 안 풀리지 않습니까."

"그건 그렇죠."

나는 무심코 그의 말에 동의하며 대답했다. 대머리 부장이 생각나서였다.

"그럼 그런 감정들은 어떻게 청소하는 것입니까. 감정이 실제로 만질 수 있는 것도 아니고 청소라는 것이 가능한가요?"

"그것들은 자세히 설명해 드리기 곤란하군요. 제가 말로 설명한다고 해서 알 수 없는 것들인지라, 직접 경험해보시는 편이 나을 듯합니다."

사장은 그리 말하며 책상으로 걸음을 옮겼다. 그리고 서랍을 열어 무언가를 꺼내더니 나에게 내밀었다.

"받으십시오. 곧 손님이 올 것입니다. 직접 보고 생각해보시는 것은 어떻습니까."

"좋습니다. 근데…… 이게 뭡니까?"
가면. 그것은 가면이었다. 여우 가면과 염소 가면. 자칫하면 유치해 보일 수 있었지만, 가면은 생각보다 섬세하여 진짜 동물의 얼굴을 본뜬 것 같다던가, 실제 가죽 같은 부드러움을 지닐 정도로 질이 높아 딱히 유치해 보인다던가 우스꽝스러워 보이지 않았다.

"가면입니다. 처음 보는 낯선 사람이라는 것은 생각보다 많이 우리 마음속에 경계심을 심어놓습니다. 그렇기에 이 동물의 가면은

31

그것을 조금 줄여주는 역할입니다."

그리 말한 사장은 나에게 여우 가면을 내밀었다. 자리에서 일어나 이마부터 턱 끝까지 얼굴 전체를 덮는 형태의 여우 가면을 받아 들은 나는 곧장 가면을 뒤집어썼다. 가면은 조금 답답했다.

'설마 진짜 가죽으로 만들지는 않았겠지⋯⋯? 에이, 설마⋯⋯.'

너무나도 생생한 촉감에 갑자기 직감처럼 그런 생각이 들었다. 하지만 염소 가면을 뒤집어쓴 사장의 말에 상념은 곧장 끊겼다.

"이제부터 기자님에게 몇 가지 주의사항을 말씀드리겠습니다. 이를 지켜주시지 않는다면 저로서도 상당히 곤란해지고, 기자님도 곤란해지실 수 있습니다."

협박 아닌 협박, 하지만 가면을 뒤집어쓴 사장의 동굴 같은 목소리는 어딘가 거부하기 힘든 무게를 담고 있어 나는 얌전히 고개를 주억거렸다. 무엇보다 가면 너머로 유일하게 보이는 잿빛 동공이 무섭게 느껴졌다. 생생한 염소 가면과 어우러진 탓일까. 언젠가 염소가 악마의 상징이라는 말을 들었던 기억이 불현듯 떠올랐다.

"첫째, 기자님은 손님의 앞에서 단 한마디도 해서는 안 됩니다. 또한, 수첩에 기록하는 행위도, 녹음기를 켜는 행위도, 주변을 두리

번거린다던가, 중간에 일어서는 것도 전부 안 됩니다."

"예?"

녹음기를 꺼낼 준비를 하던 나는 그 말에 당혹을 감추지 못하였다. 녹음기도, 수첩도 없이 오로지 기억에 의존해 취재해야 한다는 생각에 벌써부터 머리가 지끈거리는 듯하였다.

"둘째, 이곳에서 듣고 경험한 모든 것을 입 밖으로 내뱉어서는 안 됩니다. 청소 과정에서 기자님이 무엇을 듣던 간에 이를 기사에 실어서는 안 되고, 주변인들에게 말해서도 안 됩니다. 이를 어기신 다면 곤란해지실 수 있습니다."

이 말은 무슨 말인지 알 것 같았다. 아마 전단지에 적혀있던 비밀 보장 문구 때문일 듯하였다. 아쉽기는 하지만 사장의 은은한 협박이 꺼림칙하여 나는 무엇이 곤란해지는지도 묻지 않고 그의 말을 따르기로 했다. 다만, 나중 가서 돌려 말한다던가 은근슬쩍 기사에 적는 등의 꼼수를 쓸 생각이었다.

"셋째, 감정을 드러내지 마십시오."

"?"

세 번째는 생각보다 간략했다. 다만 나는 그것이 무엇을 의미하는 것인지 물어볼 겨를이 없었다. 그 직후 누군가 문을 두드린 탓이었다.

똑, 똑똑.

"저기…… 들어가도 괜찮을까요?"

사장은 말없이 눈짓으로 소파를 가리켰고, 나는 소파 한쪽에 앉았다. 군말 없이 사장의 말에 따른 이유는 아이러니하게도 흥미가 동한 탓이었다. 어딘가 꺼림칙하지만, 흥미를 불러일으키는 사장의 태도, 처음 해보는 색다른 경험, 일반적인 회사와는 다른, 이 회사가 주는 분위기가 기자로서의 나의 호기심을 자극하였고 나는 조용히 이 신비한 경험에 동참하고자 하였다.

"……"

'아차, 세 번째 맞다.'

사장이 나를 바라보며 눈짓으로 가벼운 주의를 주자, 세 번째 규칙이 떠오른 나는 흥미를 가라앉혔다.

'……그런데 어떻게 알아차렸지?'

그 순간 가슴 한켠에선 알 수 없는 직감이 불안하다 소리쳤지만, 그때의 나는 알아차리지 못하였다.

철컥.

준비되었는지 사장은 문을 열었고, 열린 문 사이로 사장의 뒤를 따라 잿빛 가면을 뒤집어쓴 손님이 들어왔다.

"……."

손님은 생각보다 어려 보였다. 얼굴을 가리고 있어 자세히는 알 수 없었지만 입고 있는 복장, 그리고 어리숙한 분위기, 꾸밈없이 칙칙한 검은 생머리를 보니 생각보다 어리다는 것을 짐작할 수 있었다. 스물, 혹은 스물하나? 아니 어쩌면 열아홉일 수도 있었다.

"앉으면 될까요……?"

내가 그런 생각을 하는 사이, 손님은 어정쩡한 자세로 맞은편 소파에 앉았고, 사장은 내 옆에 앉았다.

이제 시작하는 것일까. 나는 기대 어린 표정을 감추며 경청할 준비를 하였다.

"……."

"……."

"……."

그러나 내 예상과는 달리 침묵만이 이어졌다.

'이게 뭐 하는 짓이지?'

사장도, 손님도 아무런 말을 하지 않았다. 첫 번째와 세 번째 규칙 탓에 나는 아무런 말도 할 수 없을 뿐 아니라 답답함을 드러낼 수도 없어 미칠 것 같았다.

"……."

손님 또한 이 침묵에 당황한 듯하였다. 어딘가 안절부절못한 모습으로 계속 시선을 돌리던 손님은 사장이 무언가 말하기를 기다리듯 연신 사장을 힐끔거리고 있었다.

침묵은 그렇게 무려 5분이나 이어졌다.

'나갈까.'

그 때문에 솔직하게 말하자면 너무 지루해서 취재고 뭐고 그만두고 싶은 심정이었다. 하지만 결국 무거운 분위기를 견디지 못한 손님의 한 마디에 기나긴 침묵이 깨지며 나는 어쩔 수 없이 조금 더 지켜보기로 하였다.

"저기…… 뭐, 아무것도 안 하시나요?"

사장은 여전히 아무런 말을 하지 않았다. 그가 5분 동안 한 일이라고는 손님에게 따뜻한 우유 한 잔을 건넨 것이 전부였다.

그 뒤로 침묵은 10여 분이나 더 이어졌다.

'……그러고 보니 인간 중심 치료 방식 이랬었나.'

멍하니 기다리다 보니 문득 예전에 정신과 의사를 취재하며 들었던 지식이 어렴풋이 떠올랐다. 극도의 경계심과 불안 속에 있을 환자를 배려해 환자가 먼저 입을 열기를 기다리는 치료방식이 실제로 있었던 것 같았다. 이것 또한 그런 방식일 수 있었다.

아무튼, 그런 종류의 것이라면 손님이 먼저 입을 열기까지 기다려야 했다. 나는 할 일도 없었기에 손님을 면밀히 관찰하였다.

우선, 손님은 앞서 말했던 것처럼 어려 보였고 여성이었다. 그리고 침묵이 불편한 듯 보였다. 꼼지락대는 손가락과 시선은 자꾸만 주변을 살펴보고 있었다. 하지만 이 사무실에는 볼 것이 하나도 없었기에 손님의 시선이 향할 곳은 없었다. 결국, 갈 곳 잃은 시선은 우리에게로 돌아오기를 반복하였다.

"……."

허나 침묵이 이어질수록, 손님의 태도는 점차 변하였다. 처음에는 침묵을 어색하게 여기며 당황하고 긴장에 가득 차 있던 손님은 점점 침묵에 익숙해져 가더니 피하던 시선도 곧장 올라와 나와 사장이 뒤집어쓴 가면을 신기한 듯 힐끔힐끔 쳐다보았다. 움츠러들었던 어깨는 조금씩 펴지고 손님의 입이 이따금 할 말이라도 있는지 적게 벌어졌다 다시 다무는 일까지 있을 정도였다. 어쩌면 사장은 이런 변화를 기다리고 있었을지도 몰랐다.

"……!"

그러다 초침을 울리던 시계가 20분에 다다르자, 어린 손님은 결심한 듯 심호흡을 한 번 하더니 과감하게 자신의 앞에 놓은 따뜻한 우유를 집어 들었다. 한 모금, 두 모금. 절반가량을 비운 손님은 우유 잔을 내려놓으며 굳게 닫힌 입을 열었다.

"요즘…… 조금 힘들어요."

"그냥 별다른 건 아니고……"

처음에는 두서없는 말이었다. 드문드문 말이 끊겼고, 목소리는 개미 기어가듯 작아 들리지도 않았다.

"제가 학생회거든요……."

'학생이었나.'

중간에 말이 끊어지는 경우도 있었다. 하지만 이내 손님은 무엇에서 용기를 얻었는지 다시 말을 이어나갔다. 그 과정을 관찰하는 것은 꽤 재미있게 다가왔다.

"학생회에다가…… 동아리도 하고 있어요. 밴드 동아리인데…… 보컬이거든요. 아, 이래 보여도 나름대로 노래 잘해요. 그리고 또 멘토링 프로그램도 하고 있어요. 이게 별거 아니긴 해도 생각보다 ……."

아무런 말 없이 듣고 있는 나와 사장의 태도 덕분이었는지 아닌지 몰라도 손님의 말은 점차 편안함을 얻어갔고, 목소리는 더는 끊기지 않았다. 개미 기어가던 목소리는 점차 커지어 밴드부 보컬이

39

라는 말이 맞았는지 깔끔한 음색과 성량을 자랑하기 시작하였다. 바닥을 기던 시선은 점차 올라오고 있었다.

"거기에 추가로 수업도 최대한 많이 듣고 알바에 과제까지 매일 있단 말이에요? 그래서 요즘 조금 힘들어요. 잠도 매일 새벽에 자고, 밥도 못 먹고, 어제는 코피까지 흘릴 정도였어요. 휴지 한 뭉치를 다 쓰고 겨우 멎더라고요."

"진짜 힘들었어요……. 그래서 룸메이트 몰래 울기도 했었어요. 그런데 또 너무 서럽게 울면 자는데 방해될까 봐 참다 보니 또 문득 서러워져서 또 울고……. 거의 밤새도록 울었던 것 같아요."

그렇게 손님은 자신의 고통을 말하였다.

"얼마나 힘든지 알아요? 수업 따라가랴, 밴드부 공연 때문에 매일 연습하랴, 학생회에서 업무 처리하고 선배들 술자리 따라가서 죽기 직전까지 술 마시랴. 아, 술자리 빼면 뒤에서 뒷담화하는 선배가 있어서 빠지지도 못해요. 아무튼, 새벽까지 알바도 하는데, 그럼 알바 끝나면 집에 가냐고요? 아니에요! 집에 가서 또 과제를 해요. 그러고 나면 새벽 3시는 기본에 가끔씩 4시에 끝나요! 그러면 이제 또 3시간만 자고 다시 수업 들으러 가야 해요!"

그러다 갑자기 목소리가 희미하게 떨리며 손님의 감정이 격해지기 시작하였다.

절규인가 울분인가.

나는 직감적으로 이것이 절규라 생각하였다.

"그래서 엄청 힘들어요! 쓰러질 것 같았고 눈을 감았다 뜨면 울리는 알람과 햇빛이 너무나도 싫어서 핸드폰을 던져버리고 싶을 때도 있었어요. 아무것도 안 해도 힘들다고요. 근데 무슨 일이 있었는지 알아요? 저번 주에는 너무 피곤해서, 죽을 것 같아서 알바를 쉬었어요. 그랬더니 어떻게 그 사실을 알았는지 선배들이 갑자기 밴드부 연습을 나오래요. 부르니까 나갔죠. 근데오라고해서갔더니자기들끼리연습은커녕떠들기만하고저도연습못하게하고쉬고싶은사람잠도못하게하면서은근슬쩍꼽주더라고요?"

손님의 목소리가 빨라지고 심하게 떨리기 시작했다.

그즈음 어딘가 이상하다는 것을 느꼈다.

"그랬더니 드는 생각이 뭐였는지 아세요? 아, 죽고싶다. 그 생각밖에 안 들었어요. 너무 힘든데, 내가 이렇게 노력하고 고생했는데 돌아오는 결과가 쉬지도 못하고 저딴 사람들한테 시달리고 시험은 개같이 망해서 50명 중에 30등이라는 등수에 몸 상태는 최악, 매일

파스 붙이고 사는 게 일상인데 수업에는 집중도 못 하고 계속 졸기만 하고 있어요. 이게 맞아요!!? 코피 때문에 매일같이 어지럽고 두통에 시달려서 진통제만 먹는 삶이!!?"

손님은 머리를 쥐어뜯으며 나를 똑바로 바라보며 소리를 질렀다. 그 순간 나와 손님의 눈이 마주쳤다. 가면 너머로 어렴풋이 보이는 두 눈은 잔뜩 충혈되어 있었다. 잿빛 가면과 여우 가면 너머로 서로의 시선이 얽히고, 나는 한줄기의 소름과 함께 한 가지 의문이 떠올랐다.

'이 상황은 정상적인가?'

결단코 아니었다. 과거 취재했던 정신과 의사는 침묵을 통해 상대방과의 신뢰를 쌓는 과정이 이런 단기간 내에 이루어질 수 없다고 확신하였다. 그런데 지금 내 눈앞의 상황은 그것을 정면에서 부정하고 있었다. 만난 지 20분밖에 지나지 않은 손님, 처음 보았을 때만 해도 어리숙하고 낯가리던 학생이 지금은 어딘가 광기가 느껴질 정도로 소리를 지르며 자신의 속마음을 토해내고 있었다.

"학생회? 거기도 거지 같아요! 분명 제가 맡아서 하겠다고 했는데, 다른 사람들 안 한다길래 내가 한다고 했는데!! 갑자기내가다완성하려하니까은글슬쩍다가와서꼽사리끼려하고선배라는새끼는그거하나안막고방관하다가지여친이하고싶다고내이름쏙빼버리고지들끼리한

42

것마냥 올려버리고!!"

소름이 끼쳤다. 흥미를 사그라들고 공포가 올라온다. 이해할 수 없는 현상에 두려움이 커지고 몸은 굳어 호흡 하나 내쉬지 못하였다.

보일 리 없는 그녀의 가면 너머의 음울하고 표독한 표정이 기어올라오고, 그녀는 자신의 손가락을 쥐어뜯었다. 거스러미. 핏방울을 흘리는 거스러미가 열 손가락 끄트머리에 잔뜩 보였다. 더는 아무리 봐도 처음 낯가리던 손님과는 동일인물처럼 보이지 않는 수준이었다.

"죽고 싶어요, 죽고 싶어요, 죽고 싶어요. 그 개 같은 년, 거지 같은 선배 자식. 다 꺼졌으면 좋겠어요. 쓰레기 같은 밴드부, 역겨운 학생회, 수업도 싫고, 알바도 싫어. 진상도, 사장도 전부 싫어요. 다 사라졌으면 좋겠어요."

떨리는 목소리가 임계점을 넘어 흔들리기 시작했다. 피투성이에 울퉁불퉁한 손톱이 드러난 손가락으로 그녀는 자신의 팔뚝을 긁기 시작했다.

북, 부욱!

43

분노에 찬 거친 호흡과 울분을 토해내는 그녀의 분노만이 메아리
치는 사무실에 살을 긁는 역겨운 소리가 더해졌다.

"그래서요."

그 순간, 여태껏 굳게 입을 닫고 있던 사장이 처음으로 입을 열
었다.

"그래서, 어땠습니까. 벗어나고 싶었습니까? 죽고 싶었습니까?"

입을 연 사장의 말은 처음과 크게 변한 것은 없었다. 무게감 있
고 단단하며 굵은 남성의 목소리. 고저 없이, 단조로운 어조. 그래
서 더욱 소름이 돋았다. 이 기이하고 끔찍한 상황에 직감이 비명을
질러대었다.

'이 미친 새끼가?'

이건 미친 짓이었다. 불안 상태에 놓인 상담자를 오히려 자극하
고 있다. 사장의 말에서 느껴지는 것은 오직 악의뿐. 그녀의 끝을
보고 싶기라도 한 것인지 이 작자는 더욱 자극하고 있었다.

"어쩌냐고요?죽고싶어요.죽고싶어요.내가너무역겨워서죽고싶어요.
그새끼들이너무싫어서죽고싶어요.아니왜나만죽어,니들도같이죽어.죽

어.죽어.죽어.역겨운새끼들토악질나와……"

부욱! 북!!

피가 흐른다. 이미 붉게 물들어있던 그녀의 손목은 더욱 진한 붉은색을 흘리고 상처는 점점 심해지고 있었다. 흘러내린 피는 피부를 타고 바닥을 적시기 시작하였다.

"그만! 그만!! 그만해!"

이 미친 짓을 참을 수 없었던 나는 결국 팔을 뻗었다.

홱!

"야!! 뭐 하는 짓이야!!"

"아……."

미친 듯이 제 손목을 긋던 그녀의 팔을 붙잡고 고함을 내질렀다. 내 고함에 놀란 그녀는 잿빛 가면 너머로 흐리멍덩한 시선을 흘리더니 멍하니 허공을 바라보았다. 다행히 자해는 멈춘 상태였다.

'어, 근데 눈이 무슨…… 마약쟁이 눈인데?'

그녀의 상태는 이상해 보였지만 나는 다급히 피가 철철 흐르는 상처부터 살폈다. 다행히도 손목은 그리 깊게 파이지 않은 상태였다. 흉터는 남을 수 있었지만, 생명이 위험하다던가 쓰러질 정도의 상처는 아니었다.

"……무슨 짓거리입니까."

손수건으로 황급히 상처를 동여매 지혈을 하고 있자, 뒤에서 사장의 싸늘한 목소리가 나를 휘감았다. 상처를 지혈하고 뒤를 돌아보자 사장은 짜증을 숨기지도 않는 무기질적인, 그리고 조금 화난 듯한 잿빛 동공을 염소 가면 너머로 드러내며 신경질적인 분노를 흘려보내고 있었다.

"무슨 짓거리긴, 이 미친놈아. 오히려 내가 묻고 싶다! 이딴 게 네가 하는 짓거리냐!? 어!!"

분노를 참지 못한 나는 얼굴에 뒤집어쓴 여우 가면을 집어 던지며 사장의 멱살을 거칠게 틀어쥐었다.

"회사의 방식입니다. 관여하지 마십시오."

"닥쳐! 이딴 게 뭔 방식이야!"

"……."

사장은 말없이 나를 노려보았다. 안 그래도 덩치가 밀리는 상황에서 기이한 가면 너머로 흘리는 무기질적인 시선까지 더해지자, 나는 잠시 겁에 질려 한 걸음 물러났다. 하지만 멱살을 쥔 손은 놓지 않은 채였다.

"……."

"……."

고요한 적막만이 남은 사무실에는 나와 사장의 시선이 얽혀 팽팽한 분위기를 자아내고 있었다.

"당신은 감정이 무엇이라 생각합니까."

그 순간, 멱살을 붙잡힌 사장이 나지막이 입을 열었다.

"감정이란 독입니다. 지우려 해도 사라지지 않고 밑바닥에 남아 고이고 고여 종국에는 썩어 문드러지는 오물 같은 독입니다."

나는 그의 말을 무시하려 하였다.

"그것을 긁어내는 과정이 정상적이고 안정적일 것이라 생각했습니까? 하하호호 웃으며 풀어내기라도 기대한 것입니까? 그럴 리가요. 당신은 그런 것을 기대한 적조차 없지 않습니다. 그래서 흥미가 동했던 것 아닙니까?"

"지랄."

"말이 안 통하는군요. 인정하지 않으니 말이 안 통합니다."

"미친놈 말을 들을 필요가 있겠냐?"

하지만 감정이 섣불리 통제되지 않았다. 나는 어느샌가 흥분해 얼굴을 시뻘겋게 붉힌 채 아무렇게나 말을 쏟아내고 있었다.

"어이가 없습니다. 우선 제가 왜 미친놈 취급을 받는 것입니까?"

"뭐긴 뭐야. 사람이 피를 흘리면서 자해하고 있는데 막을 생각은 하지도 않고 쳐다만 보는 사이코패스잖아, 당신."

"그럼 기자님은 저와 다릅니까?"

그때, 부지불식간에 사장이 멱살을 쥔 내 손을 으깨듯 붙잡았다.

그의 악력이 상상 이상이었던지라, 나는 순간 밀려온 고통에 얼굴을 찌푸렸다.

"기자님 또한 저와 다를 바 없지 않습니까? 오로지 자신의 흥미를 위해 취재 대상을 선택하고 그들로부터 충분한 만족과 쾌감을 얻게 되면 그 뒤는 신경도 쓰지 않는 마키아벨리즘적 성향을 지닌 소시오패스. 당신은 처음부터 이 과정이 정상적이지 않으리라는 것을 짐작했습니다. 중간부터 말릴 수 있었습니다. 어쩌면 자해가 시작되자마자 막을 수도 있었습니다. 그런데 왜 곧장 움직이지 않았을까요? 왜 주저하며 말리지 않았을까요?"

사장이 얼굴을 들이밀었다. 가면이 코앞까지 다가오고 가면 너머의 잿빛 동공에는 나의 모습이 비쳐 있었다.

"웃고 있지 않았습니까. 당신."

"무, 무슨 개소리야!"

그 동공에 비친 시뻘건 얼굴의 내 모습이, 마치 치부를 들킨 아이의 모습 같아 나는 당황하였다.

"이 상황이 소름 끼쳐서, 무서워서 움직이지 않았다고 말하고 싶은 것입니까? 그것이 정말로 공포였을까요? 희열이나 쾌감이 아니었다고 당신은 자신할 수 있습니까?"

먁살을 틀어쥤던 손에 힘은 진작에 빠진 상태였고 나는 점차 다가오는 사장의 압박에 뒷걸음질 쳤다.

"쾌감과 공포는 한 끗 차이에 불과합니다. 그러니 감정에 솔직해지십시오. 당신이 느끼는 감정을 모두 토해내고 솔직해집시다. 기자님, 기자님은 저와 같습니다."

나는 속으로 곧장 반박하였다.

'개, 개소리야. 나는 막았어. 막고 응급처치까지 하면서 최대한 이 상황을 해결하려 했다고.'

그 순간, 사장의 손이 어깨에 닿았다. 어깨를 지그시 짓누르며 사장은 내 생각을 읽기라도 한 듯이 말하였다.

"위선이지 않습니까. 자신한테 피해가 올까 봐 행한 위선. 결단코 타인을 위해서가 아니라 기자님 자신에게 문제가 생길까 봐 빠져나갈 구멍을 마련한 것 아닙니까?"

머리는 하얗게 질려 사고를 멈추고 온몸은 피가 빨려 나간 듯 창백해진다. 거짓말을 들킨 아이처럼 흥분이 순식간에 가라앉으며 그

끝에는 두려움이 느껴진다. 생각이 멈추고 온몸은 굳는다. 그 단순한 문장이 뼈저리게 느껴졌다.

나는 아무런 반박조차 떠올리지 못하였다.

스스로도 확신할 수 없었다. 정말로 위선이었을까, 나는 정말 웃고 있었을까, 이 상황에서 희열을 느끼고 있었을까. 여태껏 알지 못했던 나의 모습을 이제야 알게 된 것인지 아니면 눈앞에 있는 사장의 악마 같은 혀 놀림에 속아 넘어간 것인지 구분할 수 없었다.

"기자님. 당신은 저의 청소를 방해하였습니다. 하지만 이에 대한 책임을 묻지는 않겠습니다. 얌전히 떠나가서 잊으세요. 그리고 한 가지 제안하고 싶습니다."

멍하니 서 있는 나를 뒤로하고 사장은 품에서 명함 한 장을 꺼내더니 내 셔츠 주머니에 집어넣었다.

"감정 청소 회사에 들어오시는 것은 어떻습니까. 기자님은 자신에게 솔직해지기만 한다면 회사의 귀중한 인재가 될 것 같다는 생각이 듭니다. 언젠가 자신에게 솔직해지시기를 기다리겠습니다."

사장의 말을 끝으로, 나는 그대로 홀린 듯이 코트를 챙겨 도망치듯 사무실을 빠져나왔다. 추운 겨울의 공기에도 정신을 차리지 못하고 범죄 현장에서 도망치는 범죄자의 심정으로 거리를 떠돌다 겨우 회사로 돌아올 수 있었다.

회사로 돌아온 나는 곧장 아침에 받았던 전단지를 찢어 쓰레기통에 처넣었다. 하지만 사장에게 받았던 명함만큼은 버리지 못하고 지갑 안쪽 깊숙이 넣어두었다.

그 일이 있었던 후로부터 벌써 10년이 지났음에도, 나는 이때 있었던 일을 장면 하나하나까지 또렷하게 기억하고 있었다. 최근에는 감정 청소 회사의 이름이 주변에서도 간간이 들릴 정도로 성장한 모양이었지만 나는 그곳에 애써 관심을 가지지 않기로 하였다. 그날 내가 가슴 속으로 지녔던 의문들이 아직도 풀리지 않은 탓이었다. 다만, 10년 전 받았던 명함은 아직 지갑 어딘가에 고이 보관되어있었다.

김

민

작가의 말

김민

모든 글을 완성하고

썼던 글을 검토하고

마침내 모든 준비가 끝났을 때

작가의 말을 쓰기 시작한다

가벼운 일상으로 시작되는 서두부터

가치관과 의문점을 다룬 본문을 지나

감사함과 아쉬움을 담은 결미까지

모든 것을 다 작성하면 작가의 말이 완성된다

가끔은 특별한 책 속 내용이 아닌

소소한 작가의 말을 쓰고 싶은 마음으로

염치없게도 소설이 완성되기도 전에 작가의 말을 쓴다

이보다 내 마음을 솔직하게 담을 수는 없으니까

한편으론 이 모든 게

그만큼 책을 아낀다는 의미이고

내 품을 떠나보낼 준비를 마쳤다는 뜻이니

더 이상의 미련 없이 후련하게 세상에 내보낸다

내가 세상 그 무엇보다 아끼는 내 글아

너를 위해 독자에 대한 가벼운 인사 글을 남길 테니

얼른 그와 친해져 사랑을 듬뿍 받아

누군가의 기억에 남을 책이 되어라

내가 사랑하니까

겨울의 기억

밟힌다 밟혀 눈이
밟힌다 밟혀 눈에

흐드러지게 쌓여진 하얀 마음 위에서
이 길을 왔다 간 사람들이 남긴 까만 발자국이

덧없이 사라질 눈 아래에서
겨울의 발자국이 봄날의 꽃잎으로 덮일 때까지
찰나의 순간이 삶의 영원으로 바뀔 때까지
내 마음에 기록되고 있으리라

내가 걷는 발걸음이
그대가 걸었던 발자국이
녹지않는 추억으로 남아
영원히 간직되고 있길 바라마

Unrecorded - tape.

김 민

분명 중요한 무언가 있었는데 기억이 나질 않아요
아름다운 세상의 춤이 담겨진 카메라 테이프일까요
사랑을 속삭인 목소리가 녹음된 카세트 테이프일까요
영원히 간직할 것만 같았던 기억의 테이프일까요

잃어버린 그것을 찾기 위해
출구 없는 기억의 미로에서 길을 잃고
제가 가졌던 모든 것을 엉망진창으로 만들다
별자리만 남겨진 밤하늘 아래에 홀로 남겨졌어요

저 별은 과거에서 온 빛이라는데
무엇을 위해 세상을 헤메는 걸까요
그대와 보낸 그때를 그리워하는 걸까요
그때의 그대를 찾는 걸까요

삶이 끝난 유령이자 삶을 끝내지 못한 좀비인 저는
기억도 나지 않는 외로움과 그리움 사이를 혼고히 배회하며
그대 없는 바다에서 끝나지 않은 헤엄을 치다
그 테이프를 영원히 찾으러 다니겠죠

나중에 그 의미도 잊어 버린 채 수영하다
파도에 휩쓸려 싸늘한 주검이 돼 수면 위로 떠오르면
부디 제 손에 쥐어진 테이프를 틀어주세요
아무 내용이 없더라도 끝까지 들어주세요

지금은 안 들려도 미래에서 들을 수 있어요
그게 제 마음이고 사랑이니까요

바다를 보는 사람들

김 민

바다를 들여다 보면 무엇이 보일까

뜨거운 여름 낮
햇살에 데워진 모래 위에 앉아
한없이 수평선만 쳐다보는 사람
그 사람은 다가올 여름의 시작을 보는 걸까

차가운 겨울 밤
달빛에 식어버린 바위 위에 앉아
끝없이 파도만 쳐다보는 사람
그 사람은 떠나갈 겨울의 끝을 보는 걸까

밀려오는 파도처럼 다가온 인연과
쓸려가는 파도처럼 떠나버린 사람들이
수면 위로 동시에 떠올라 한데 얽히고 섥히다
끝내 저 바위에 부딪히고 부서지는 것을 반복했다

낮하늘의 햇살을 눈부시게 머금은 해의 윤슬이여
밤하늘의 별을 파란 도화지에 새긴 달의 거울이여
네 안에 내가 일렁이고 내 친구가 잠들어있는데

어찌 내가 떠날 수 있겠느냐

곁을 떠나지 못한 채 해변과 바다에 경계에 누워
파도가 품은 소리와 소금기를 먹은 냄새에 정신을 놓아
나의 사랑과 추억을 가져간 너에게
나의 슬픔과 악몽을 떠넘기어 다 사라지게 할 것이다

멈춰버린 과거와 흘러가는 미래 속에
내가 가진 전부를 투영시키고
바다마저 날 들여보게 만들어
미처 파도가 지우지 못한 모래가 될 것이다

각색의 수영

김 민

동네 공원을 산책하던 중 화장실에 갔다. 볼 일을 마치고 나오다 쓰레기통에 처박혀 있는 꽃다발을 보았다. 아직 생기가 남아있고 아름다운 게 방금 누가 버린 것만 같았다. 밖에 나오니 어떤 남자가 벤치에 앉아 펑펑 울고 있었다. 처음 보는 나마저 위로하고 싶을 정도로 슬프게 울었다. 그의 울음소리는 공원을 가득 메웠다.

그날은 유독 추운 12월의 끝이었다.

1부

늦은 가을이 시작된 11월의 새벽 6시, 수영장은 창백한 얼굴로 추위를 견뎠다. 그를 어루만져주고 싶어 스트레칭도 잊고 입수했다. 곧이어 창백함이 나를 덮쳤다. 그래도 괜찮았다. 이것이 사랑이니까.

수영에 앞서 간단한 스트레칭을 시작한다. 허리를 돌리고 목을 돌리고 어깨를 돌리고 팔을 돌린다. 근육이 놀라지 않게 진정시킨다. 물에 들어가서는 걸어서 1바퀴, 킥판 잡고 발차기 5바퀴, 자유형으로 10바퀴, 배영으로 5바퀴, 쉬워 보이지만 초급자인 나에게는 식은 죽 먹기가 아닌 락스 물 마시기였다. 고통스럽다는 뜻이다.

수영을 끝내고 샤워를 마친 뒤, 접수처에 열쇠를 반납하고 수영장에서 나오면 아침 7시, 새벽과 아침의 경계에서 이어폰으로 노래를 들으면서 알바하러 카페에 간다.

가게에 도착해 문을 열고 커피머신을 세팅한 다음 손님을 맞이할 최적의 미소와 목소리를 준비한다. 오늘의 분위기에 맞는 카페 음악을 선정하고 그제야 밀려오는 햇살과 함께 손님을 맞이한다. 오늘도 수많은 사람이 오가고 그 사람들과 인사하다 바쁜 일상에 불만을 토로할 때쯤이면 누군가 찾아온다. 그리고 나는 그 사람이 오는 시간, 9시 40분만을 기다린다.

그 사람에게 관심을 가진 건 순전히 호기심 때문이었다.

무료한 시간을 보내기 위해 여러 사람을 보며 '멋대로 추리 놀이'를 하고 있었을 때였다. 저 사람은 학생이구나, 저 사람은 직장인이구나, 저 사람은 학부모구나, 그 사람 또한 시선의 끝에 머물던 사람이었다.

아이스 아메리카노. 연하게 - 포장하기

그녀는 연한 아메리카노를 포장했다. 초면은 아니었다. 선명하진 않았지만 구면이었고 언제나 같은 메뉴만 시켰었다. 평범한 메뉴는 관심 없지만 그녀가 들고 있던 김밥에는 눈이 갔다. 연한 아메리카노와 김밥, 무슨 조합일까. 같이 먹으면 무슨 맛일까. 아침 대용인 걸까. 대학생인 걸까. 그녀는 나에게 의문점만 남기고 해답 없이 버스를 타러 떠났다. 물론, 버스는 나의 추측이다.

다음 주 새벽 6시, 수영장에서 자유 수영을 위해 준비운동을 하고 있었다. 사람들이 차례로 들어오면서 나를 지나치던 와중 누군가 눈에 들어왔다. 지난주에 그 여자 손님이었다. 물론 수모와 수경을 써서 제대로 판별할 수는 없었지만 나의 머리는 멋대로 그녀로 인식했다.

나는 그녀에게 시선을 맡긴 채 그녀의 수영 실력에 감탄했다. 자유형, 배영, 평영, 접영 4가지 영법을 자유자재로 하는 그녀를 보며 부러움을 느꼈다. 그 사람의 자유로움에 반했다. 이날 나는 그녀에게 시선이 뺏겨 제대로 연습할 수 없었다.

수영이 끝나고 그녀가 나갈 때 수경을 벗자 조금 낯설어 보이는 얼굴로 바뀌었다. 어쩌면 둘이 동일 인물이 아닐지도 모르겠다는 생각이 들었지만, 그럼에도 그녀를 생각할 수밖에 없었다.

샤워를 마치고 밖으로 나와 걷던 중 분식집이 보였다. 수많은 메뉴 중 그녀가 먹었던 김밥이 떠올라 한 줄을 포장했다. 김밥을 절반쯤 먹다 문득, 아메리카노와 김밥의 조합이 궁금해졌다. 맛있어서 먹은 걸까, 요즘은 특이 취향이 많으니까 그럴 수 있지 않을까. 결국 오픈 준비 후 시간이 남았을 때 딱 한 입 먹었다. 맛은 당연히 없었다.

9시, 이때가 제일 바쁘다. 출근한 직장인들이 단체 커피를 시키기 때문이다. 다행히 아메리카노 위주지만 간간이 에이드나 프라페를 시킬 때도 있어서 조심해야 한다. 한번은 혼자 20개를 만든 적도 있었다. 심지어 다 다른 걸로. 뭐, 힘들어도 내년 1월이면 그만두니 별다른 불만을 토하지는 않는다.

모든 주문을 다 받으면 약 40분 정도 지나간다. 산처럼 쌓인 설거지를 하고 바다처럼 흐트러진 재료를 정리한 다음 꺼져버린 음악을 다시 켜 짧은 평화를 즐긴다. 9시 40분부터 9시 50분, 이 10분은 거의 손님이 없는 시간이다. 주문이라는 연기가 끝나고 휴식이라는 퇴장을 즐길 때 카페라는 무대에 손님이라는 주연이 등장했다.

문이 열리는 소리와 함께 그녀가 들어왔다. 그녀는 키오스크로 메뉴를 주문했다.

아이스 아메리카노. 연하게 - 포장하기

커피를 만들며 속으로 온갖 생각을 다 한다. 새벽에 수영장에서 봤었던 거 같은데 혹시 맞냐, 아메리카노랑 김밥 조합 맛없다.

이런 거 물어보면 안 되는 건데, 왜 이렇게 말을 걸고 싶은 걸까. 수영을 잘한다는 경외심인 걸까, 순수한 의문인 걸까, 아니면 나도 알고 있던 마음을 감추고 있는 걸까. 결국 오만 생각을 하다 말없이 커피만 드리고 뒤를 돌아섰다.

- 저기요.

그녀가 불렀다. 얼른 뒤돌아 토끼 눈으로 쳐다봤다.

- 혹시 도장 좀 찍어주시겠어요.

아 맞다 도장. 찍어드려야지 그치. 도장을 찍어 준 다음 쿠폰을 드리면서 그녀와 눈이 마주쳤다. 정말 짧은 시간이었다.

- 혹시 수영장 다니세요?

정말, 정말 짧은 시간이었다.

- 다름이 아니라, 제가 근처 수영장 다니는데 뵌 적이 있는 거 같아서…

뻔한 변명이 끝나고 그녀의 대답을 기다렸다. 정말 긴 시간이었다.

- 아뇨 안 다녀요.

정말, 정말 긴 시간이었다.

그녀는 웃으면서 한 손으로는 입을 막고 한 손으로는 손사래 치며 아니라고 했다. 너무, 너무 죄송했다.

- 정말 죄송해요. 진짜 너무 죄송해요.

나는 어쩔 줄 몰라 연신 고개를 숙이며 그녀에게 사과했다. 창피함은 둘째치고 너무 죄송했다. 그녀는 계속 웃으면서 괜찮다고 말했다.

- 근데 원래 수영장 다니려고 했어요.

무안해서 그런지 그녀는 말을 덧붙이고는 인사와 함께 커피를 들고 나갔다. 나는 기어가는 목소리로 인사를 한 뒤 화

끈한 얼굴에 부채질하며 반성하고 후회했다. 확실하지 않은
일에 오지랖을 부리다니, 그러면 안 되는데. 이제 얼굴 어떻
게 보려고 그러냐.

하지만 나의 걱정은 일어나지 않았다. 다음 날, 그녀는 오
지 않았다.

테니스장에 다니는 여자는 영화관 알바를 하던 도중 자주
오는 남자를 같은 테니스장에 다니는 사람으로 오해하여 말
을 건다. 남자가 자신이 아니라며 손사래 치자 여자는 부끄
러움을 감출 줄 모른다.

2부

완연한 가을이 시작된 11월의 새벽 6시, 화요일, 수영을 하던 나는 다시 상급반을 두리번거렸다. 그때 손님으로 오해했던 여자를 다시 보고 싶었다. 그 사람은 접영을 계속하느라 얼굴을 오래 볼 수 없었다. 잠시 코너에서 쉬고 있을 때는 내가 수영하느라 제대로 볼 수 없었다. 다른 사람이라니, 이건 생각 못 했는데.

시간을 거슬러 그 사건이 있던 다음 날, 그녀는 9시 40분에 오지 않았다. 9시 50분에도 오지 않았고 10시에도 오지 않았다. 결국 내가 퇴근하는 3시까지 그녀가 오지 않았다.

그녀가 오지 않은 건 처음이었다. 물론 처음은 아니겠지만, 내가 의식한 이후로는 처음이다. 어째서 오지 않는 걸까, 내가 너무 부담을 줘서 그런 걸까. 나는 그냥 친해지고 싶어서 그런 것뿐인데. 어쩌면 나 없는 시간에 온 거 아닐까, 아니면 다른 날? 일부러 나 피하려고?

오지 않는 그녀를 생각하다 4일 밤을 꼴딱 새니 저절로 컴퓨터 앞으로 갔다. 작가 지망생의 습관인 걸까, 나는 내 멋대로 사실을 각색하여 글을 쓰기 시작했다. 수영장은 테니스장, 카페는 영화관, 나를 여자로, 그녀는 남자로 성별도 바꿨다. 1인칭 주인공 시점이 아닌 전지적 작가 시점, 인물의 심리묘사가 아닌 사건의 나열로만 이야기를 진행하고 싶었다.

쓰고 싶어 쓰는 이야기에 이유를 묻는다면, 만남 이후를 상상해 보고 싶었다. 만약 이렇게 다시 못 만난다면, 소설 속 남자와 여자는 그냥 멈춰있게 되는 걸까. 헤어짐으로 남겨져 잠깐의 사건으로 기억에 머물다 일주일이면 아무 일도 없었다는 듯이 사라져 버리면 안타까울 것 같았다. 갈 곳 없는 마음이라 부르기도 어려운 내 감정을 글자 위에 적어 순간이 영원이 되길 바랐다. 감정은 진짜니까.

소설의 발단까지 쓴 다음 날, 전보다 수영을 열심히 했다. 에너지를 소비하니 잡생각이 들지 않아 좋았지만, 가게에 다가갈수록, 시간이 흐를수록 그녀 생각이 나는 건 어쩔 수 없었다.

9시 40분, 오늘도 그녀는 오지 않았다. 아쉬움에 시간을 넘겨보니 어느덧 12시, 사람이 가장 많은 점심 시간대에 같이 일하는 알바생 지훈 씨가 왔다. 이후 손님들도 밀려 들어온다.

1시간 매출 15만원, 주문수 25개, 대부분이 단체 손님이고 출근 시간대와 달리 다양한 메뉴를 만드는 점에서 12시 알바는 굉장히 힘들다. 이것을 12시부터 3시까지 지속해야 한다. 점심 알바는 지옥이다.

잠깐의 폭풍이 지나간 오후 1시 10분. 지훈 씨와 짧은 잡담을 나눈다.

- 오늘은 유독 손님이 많네요.

- 그러니까요. 근래 중 가장 바쁜 거 같아요.

- 배달 주문도 많고. 아, 그러고 보니까 수영씨 다음 달까지 하신다면서요.

- 어, 맞아요. 누구한테 얘기 들었어요.

보나 마나 사장님이겠지.

- 사장님이 말씀하시던데요. 캐나다 가신, 어, 수영씨 손님 왔어요. 어서 오세요.

대화를 나누던 중 누군가 자동문을 열고 들어온다. 수많은 단체 손님 중 개인 손님. 그녀다. 그녀가 왔다. 그녀가 가게로 들어왔다. 그녀는 평소처럼 주문했다.

아이스 아메리카노. 연하게 – 먹고 가기

평소와 같은 메뉴, 다른 장소. 그녀는 처음으로 포장이 아닌 매장을 선택했다. 커피를 만들면서 이상하게 조바심을 냈다. 나의 무례한 짓 때문에 카페를 안 왔는데 사과는 물론이고 무엇이라도 줘야 하는 것 아닌가.

나는 뭐라도 주고 싶었다. 오지랖이라는 걸 알면서도 주고 싶었다. 그러면 미안함을 떨칠 수 있을 것 같았다. 나는 내 돈으로 가게에서 가장 잘 팔리는 쿠키를 하나 샀다.

- 아메리카노 연하게 한 잔 나왔어요.

그녀는 나의 앞으로 왔다. 그녀가 지난번처럼 도장을 찍어달라 했을 때 쿠키를 드리며 말했다.

- 이거는 제가 지난번에 너무 죄송해서 드리는 거예요, 그때 정말 죄송했습니다.

그녀는 당황해했다.

- 아니에요. 전혀 기분 안 나빴어요. 저도 수영장 다니는 사람 봐서 신기했었는데요.

- 그래도, 제가 너무 죄송해서 드리는 거니까 신경 쓰지 마세요.

결국 강제로 욱여넣으며 쿠키를 줬다. 이렇게 줘도 되나 싫었지만 그래도 참을 수 없는 마음이었다. 옆에 지훈 씨가 무슨 일이냐고 물어봤지만 별일 아니라고 일단락했다.

이후 바쁜 점심시간이 이어졌지만, 나는 그녀에게서 눈을 뗄 수 없었다. 그녀는 문제집 두 권을 꺼내놓고 집중하면서 공부하다 가끔 음료를 홀짝이며 핸드폰을 만졌다. 1시간이 지나자, 그녀는 남은 커피를 포장하고 카페를 나갔다. 내가 준 쿠키를 먹었는지는 알 수 없었다.

다음 날, 그녀는 평소와 같은 9시 40분에 왔다. 같은 메뉴를 시키고 도장을 찍어 달라고 했다. 오늘은 그녀가 먼저 말을 걸었다.

- 어제 주신 쿠키, 학원에서 너무 잘 먹었어요. 감사했습니다.

환하게 웃으면서 말해준 그녀 덕분에 안심했다.

- 다행이네요. 그럼, 커피 맛있게 드시고 좋은 하루 되세요.

무의식적으로 그녀가 항상 카페에 오길 바랐다. 맛있는 커피를 주고 싶었다. 카페인이 몸에 안 받는다면 차를 대접하고 싶었다. 데운 물에 유자를 넣어 마음이 잘 스며들게 만든 뒤 그 사람이 온기를 잃지 않기를 바랐다. 그 사람의 차가운 손이 따뜻했으면 좋을 것 같았다. 가벼운 대화도 나누고 싶었다. 세상 돌아가는 일, 그대가 살아가는 일, 디저트보다 달콤한 이야기를 그대의 입에서 듣고 싶었다.

내 바람이 통한 것인지, 그녀는 항상 같은 시간에 왔다. 힘든 시간에도 그 사람을 보니 왠지 모르게 기분이 좋아졌다. 연한 아메리카노. 언제나, 변함없이 같은 메뉴를 시켰다. 도장을 찍은 다음 그 사람은 가벼운 인사를 하고 헤어졌다. 주문하고 커피를 드리고 도장을 찍어주기까지 약 2분, 9시 40분부터 42분까지, 그 시간이 난 기다려졌다. 그리고 그 시간을 여전히 글로 쓰고 있었다.

다음 주, 그녀는 테니스장에서 본 남자가 동일인물이 아닌 걸 재확인한 후 부끄러움과 미안함을 동시에 느낀다. 다시 남자가 왔을 때 여자는 남자가 주문한 팝콘과 함께 자기 잘 못이라며 버터구이 오징어를 건넨다. 남자는 괜찮다 말하지만, 여자는 밀어 넣는다. 이후 남자는 잘 먹었다고 말했고, 그제야 여자는 웃는다.

3부

잎이 떨어지기 시작한 11월의 새벽 7시. 수영장을 나서자 하늘에서 비가 떨어지기 시작했다. 많이 쏟아지지는 않았지만, 옷이 젖기에는 충분한 양이었다. 다행히 챙겨온 우산이 있었지만, 날씨 탓에 장사의 지장이 가지 않을까 걱정이 됐다.

예상대로 사람들은 많이 오지 않았다. 평소보다 손님도 절반으로 줄었고 따뜻한 커피나 차만 사 갈 뿐, 비싼 에이드나 프라페를 시키는 사람은 없었다. 단골손님도 몇 분 안 왔고 단체 손님도 적었다. 그것도 비슷한 메뉴만 시켰다. 편하긴 했지만, 스팀을 쳐야 하는 따뜻한 라떼의 주문이 많이 들어온 건 옥의 티였다.

10시, 평소보다 조금 늦게 그녀가 왔다. 비에 조금 젖은 채 들어온 그녀는 평소와 다르게 가게에서 마셨다.

커피를 받은 그녀는 공부도 하지 않고 핸드폰만 잠깐 하다 계속 창문만 바라봤다. 추측건대 비가 잠시 지나가길 바라는 것 같았다. 카페에는 나와 그녀, 둘밖에 없었다. 내 마음은 알 수 없는 긴장감만 가득했고 카페에는 음악만 흘렀다. 긴장을 풀기 위해 좋아하는 가수의 플레이리스트를 틀었다.

It's a sweet chaos

니가 등장하면서부터

내 삶과 꿈 미래 그 모든 게 바뀌어

근데 기다려져 내일이 변해가는 매일이

좋아 미칠 정도야

노래를 듣던 중 그녀는 내 앞으로 다가와 새로운 주문을 했다.

번트치즈 케이크 - 먹고 가기

길어지는 비에 그녀는 처음으로 아메리카노 말고 다른 메뉴를 시켰다. 케이크를 받은 그녀는 천천히 맛을 음미하며 시

---

[1] 데이식스 - <Sweet Chaos>

간을 보냈다. 10시부터 10시 30분, 손님을 쫓아낸 날씨 덕분에 정적만 가득한 공간에서 둘만의 시간을 보냈다.

30분이 지나도 비가 그치지 않자, 그녀는 초조해했다. 커피와 케이크를 다 먹기도 했고 슬슬 가야 할 시간인 것 같았다. 비는 전보다 더 많이 내려 우산 없이 가다가는 감기에 걸리거나 홀딱 젖을 것 같았다. 그 사람은 떠나지 못했다. 그 사람이 안쓰러웠다.

한참 고민하던 그녀는 짐을 싸고 자리에서 일어났다. 그녀는 나에게 다 먹은 컵과 그릇을 주고는 짧은 인사와 함께 나가려 했다.

- 저기요.

내가 말했다.

- 혹시 우산 없으세요?

또, 부리면 안 되는 오지랖을 부렸다.

- 네. 오늘 비 오는 걸 까먹어서.

- 그러면 매장에 남는 우산 있는데 빌려드릴까요?

사실 거짓말이다. 남는 우산 따위 없고 내 우산밖에 없다.

- 정말 남는 거예요? 그러면 저야 감사하죠!

나는 내 우산을 드렸다. 그녀는 활짝 웃으며 고맙다고 말했다.

- 감사합니다. 꼭 돌려드릴게요.

그녀는 빗속으로 사라졌다. 꼭 돌려주겠다는 말이 잊히지 않는다. 그녀가 돌아오기를 간절히 바랐고 이 호의가 부담되지 않기를 바랐다. 부담 때문에 이곳에 안 오지 않았으면 했다. 카페에는 노래만 흘렀다.

장난 아닌데 지금 내 눈에 좋아한다 써져있는데
why don't you feeling 이미 얼굴에 티 날대로 나고 있는데
너 계속 애매하게 애매하게 웃으며 넘길 거야

그렇게 그렇게 너 맨날 이럴 거야

커져만 가는 내 마음 제발 어떻게 좀 해줘요²

다음 날, 햇빛이 쨍쨍한 아침에 그녀가 왔다. 우산을 돌려주며 그녀는 자그마한 선물을 줬다. 쿠키였다.

- 지난번에 쿠키 주신 게 생각나서 감사해서 드린 거예요. 부담 가지지 마세요.

- 부담이라뇨. 정말 감사합니다. 잘 먹을게요.

그녀는 커피와 함께 사라졌다. 나는 그 쿠키를 연한 아메리카노와 함께 먹었다. 말차맛이었다. 쌉싸름한 쿠키와 쌉쓸한 커피가 기억을 만들었다.

- 저기요.

---

² 데이식스 - <장난 아닌데 I'm Serious>

그리고 그것이 우리의 마지막이었다.

이후 그는 다시 오지 않았다.

4부

눈이 내리기 시작한 12월의 새벽 6시, 자유형 15바퀴, 배영 10바퀴, 평영 5바퀴를 다 돌고 물 밖으로 나온다. 2층에 접수처에서는 다음 달 수영 강습 신청을 받고 있었다. 열쇠를 반납할 때 직원이 물었다.

　－ 회원님, 다음 달은 안 하세요?

못한다고 대답했다. 다음 달에는 이곳에 없었다. 다음 달이면 12월도 끝나고 수영도 끝이고 알바도 끝이었다. 모든 게 끝이었다.

우산을 돌려준 다음 날부터 한 달 동안 그녀는 오지 않았다. 나는 무의식적으로 9시 40분을 기다리며 오지 않는 그녀와 끝나지 않은 소설의 뒷부분을 생각했지만, 그녀도, 결말도 찾아오지 않았다.

창문을 바라보며 비가 떨어지고 잎이 떨어지다 눈이 떨어졌다. 단 한 번도 오지 않는 매정한 사람이 생각났다. 비 오는 날엔 우산은 들고 다닐까, 잎이 떨어지는 날엔 쓸쓸함을 낙엽을 밟아 미끄러지진 않을까, 눈이 오는 날엔 목도리를 맸을까. 모든 것이 걱정되고 머릿속을 맴돌았다.

만약 걱정처럼 어딘가 힘들다면 이곳에 잠시 머물러주길 바랐다. 내가 커피와 함께 따뜻한 마음을 담아 줄 텐데. 따뜻한 겨울을 만들어 줄 텐데.

추워진 날씨 때문에 손님은 줄어들어 잡념을 가지는 시간이 많아졌다. 그 잡념은 대부분 그녀 생각이었다. 나는 왜 그녀에게 관심을 가지게 된 걸까. 단순히 연한 아메리카노와 김밥 때문일까. 수영을 잘한다는 오해 때문일까. 아니면 오해로 이루어진 우연 사이에서 운명이라는 착각을 느끼며 사랑의 심취했던 걸까. 소설 속 주인공 같으니까.

다음 달에 나는 캐나다로 워킹홀리데이를 떠난다. 군대에 있을 때, 갑갑함에 몸부림치던 나는 달라지고 싶어 이곳을 떠나기로 결심했다. 비단 군대가 아닌 환경을, 나아가 나를 바꾸고 싶었다.

나는 자존감이 낮은 사람이었다. 낯을 많이 가리는 내향적인 성격 때문에 사회와 군대에서 사람들이 많으면 기가 빨리고는 했었다. 대학교는 국어국문학과를 다녔지만 제대로 된 글도 쓰지 못했다. 상상력이 부족했던 난 전부 내가 있었던 일을 각색하는 일밖에 없었고 그것도 제대로 쓰지 못했다. 작가로서는 실격이었다.

나를 바꾸고 싶었다. 전역하자마자 평생 하지 못했던 수영을 배우고 카페 아르바이트를 구했다. 수영을 배우고 일을 하면 내가 달라질 수 있을 거라 믿었고 이런저런 경험을 쌓으면 나중에 글을 쓰는데 도움이 되리라 생각했다. 그러다 그녀를 만났다.

몸에서 나는 락스 냄새와 옷에서 나는 커피 냄새, 모자 때문에 눌러앉은 머리, 마를 틈 없는 물기 가득한 손, 피곤함에 지친 눈, 커피 때문에 더러워진 유니폼과 앞치마.

향수보다는 섬유유연제에 가까운 라벤더 냄새, 단정한 머리 스타일, 섬섬옥수에 고운 손, 생기 가득한 눈과 그 위에 점, 구겨지지 않고 꼿꼿한 외투.

나는 나의 부족한 부분을 억지로 낮추고 그녀의 멋진 모습을 억지로 높이면서 잘못된 동경을 하고 있었다. 그러면 나도 소설 속 비운의 주인공이 될 수 있었으니까. 부족한 자신과 다른 완벽한 공주님을 멀리서 바라만 보는 로맨스 소설의 주인공이니까.

　그녀가 오지 않는 동안 소설은 헤어지는 장면에서 멈춰졌다. 그들은 우리처럼 아직도 만나지 못하고 있다. 작품의 작가이자 신인 나는 그를 돌아오게 할 수 없었고 그의 마음도 알 수 없었다. 그가 다시 영화관에 오지 않는 이유는 뭘까. 다른 영화관에 더 좋은 이벤트가 있었던 걸까, 팝콘 맛이 변했던 걸까, 여자의 행동이 너무 과했던 걸까. 여자가 싫었던 걸까.

　글을 쓸수록 알 수 없었다. 소설 속 등장인물의 마음도 알지 못하는 내가 어떻게 그녀의 마음을 짐작할 수 있겠는가.
그녀는 어떤 마음으로 떠난 걸까. 내가 이렇게 글을 쓰면서
까지 생각하고 있단 걸 알까.

한참을 고민하다 남자가 돌아오지 않고 여자가 호주로 유
학을 떠나는 결말을 만들었다. 소설 속 여자를 끝내 사랑을
하지 못하는 불쌍한 주인공으로 만들었다. 속은 후련하지 않
았고 찝찝함과 공허함만 남았다. 각색된 문학은 언제나 같은
감정만 남겼다. 아직 제목은 짓지 못했다.

각색의 수영

차갑게 눈이 떨어지는 12월 31일의 새벽 6시, 매달의 마지

막 날은 강습 없이 자유 수영으로 이루어진다. 킥판 5바퀴, 자유형 15바퀴, 배영 15바퀴, 평영 10바퀴. 3개월 만에 할 수 있는 것이 늘었다. 이제는 입에 물이 들어가는 횟수도 많이 줄었다.

수영은 어려우면서도 쉬운 스포츠다. 처음에는 물에 뜨는 것부터 힘들지만 뜨고 나면 나머지는 수월하고 발차기가 되면 나머지도 배우기 쉽다. 이를 연마하는 과정까지는 어렵지만 몸에 익혀지면 나머지는 저절로 된다. 익숙해진 몸을 물에 맡긴 채 부드러이 수영장을 유영하면 나와 물이 하나가 된 것 같은 기분을 느낀다. 머릿속 모든 걱정이 사라지고 깨끗해져 앞으로 나아갈 힘을 준다. 수영을 사랑한 이유는 바로 이것이다.

마지막 수영을 마치고 더 이상 창백하지 않은 수영장을 안아준다. 열쇠를 반납하러 접수처에 간다. 그곳에는 1월부터 새로 다닐 신규회원들이 강습을 모집하고 있었다.

- 카페 알바? 카페에서 일하시는 분 맞으시죠.

누군가 내 어깨를 잡고 말을 걸었다. 뒤를 돌아보니 그녀였다. 약 1달 만에 보는 얼굴이었다. 그사이에 머리카락은 조금 자랐고, 여전히 예뻤다.

- 아메리카노 연하게 주문하는 손님 맞으시죠?

- 네 맞아요. 예전에 수영장 다니신다고 했던 곳이 여기였구나.

- 그러면 여기 다니시려고?

당황한 나는 손에 쥔 열쇠도 까먹고 얘기했다. 뒤에 길게 늘어진 줄에 얼른 열쇠를 반납하고 빠져나왔다. 접수가 끝난 그녀도 같이 나왔다.

카페 오픈까지 여유가 있던 나는 수영장 근처 분식집에서 아침을 먹자고 제안했다. 그녀는 부탁에 응해줬다. 우리는 떡볶이와 김밥, 돈까스를 시켜 나눠 먹었다.

나는 물어보고 싶은 게 많았다.

- 우산 돌려준 다음 날부터 안 오셨던데 왜 안 오셨어요?

- 학원 스케줄이 바뀌어서 목요일만 가게 되었거든요. 그래서 다른 알바 분만 보고 알바 분은 못 봤던 것 같아요.

지훈 씨는 이런 귀중한 사실을 왜 알려주지 않은 거지.

- 그러면 수영장은 어쩌다 다니시게 된 거예요?

- 본가가 부산이어서 여름에 해운대를 자주 가는데 항상 수영을 못해서 깊이 못 들어가는 게 아쉽더라고요. 그래서 원래 다닐까 말까 하고 있었는데 알바 분께서 물어본 이후로 흥미가 생겨서 새해 기념해서 다니기로 했어요. 그러고 보니 수영 잘하세요?

그때 다닐 생각이 있었다는 게 사실이었구나. 무안해서 한 말이 아니구나.

- 잘하지는 못하고 평영까지 겨우 배웠어요.

- 우와! 저도 평영은 꼭 하고 싶은데, 어렵지 않아요?

짧은 수다와 함께 밥을 다 먹은 우리는 밖으로 나왔다. 나는 그녀에게 커피를 한 잔 내려주겠다고 했다. 그녀는 감사히 마시겠다고 했다.

어두운 카페에 불을 밝히고 어느 때보다 빠르게 오픈을 준비한다. 의자에 앉은 그녀를 위해 가장 정성 들여 커피를 만든다. 오랜만에 들어온 주문은 변함없었다.

아이스 아메리카노. 연하게 - 포장하기

그녀에게 마지막 커피를 건네며 가벼운 얘기를 한다.

- 날도 추운데 차가운 거만 드시네요.

- 따뜻한 거는 맛이 없더라고요.

그녀는 커피 한 모금 삼키며 맛을 음미했다.

- 역시 아메리카노는 알바 분이 만든 게 제일 맛있어요.

그러고 보니 계속 '알바 분'이라 부르기 그런데, 혹시 이름

알려주시겠어요?

- 수영이에요. 이수영.

그녀는 놀랐다.

- 헉, 저도 수영이에요. 채수영.

그녀는 자신의 주민등록증을 보여주며 이 순간이 거짓이 아님을 보여줬다. 알 수 없는 우연과 행운이 겹치며 지금이 소설 속 한 장면이 아닐까 생각했다. 특별한 순간에 아름다운 노래와 여유로운 시간이 함께 흘러갔다.

- 좋아하는 노래 있으면 틀어드릴까요?

- 아니요. 저는 괜찮아요? 수영 씨는 노래 취향이 어떻게 되세요?

나는 좋아하는 가수의 노래를 틀었다. 그녀는 가볍게 목을 흔들며 리듬을 탔다.

아, 행복했던 날들이었다

꿈만 같았었지

이제 더는 없겠지만

지난 날로 남겨야지[3]

- 비 오는 날에 틀었던 노래랑 같은 가수 맞죠?

- 맞아요. 데이식스라는 그룹이에요.

- 지난번에도 물어보고 싶었는데, 지금이라도 알게 돼서 다행이네요.

그녀도 나한테 궁금한 게 있다는 것이 신기했다. 당신도 나를 생각했었다니, 꿈만 같구나.

달콤한 시간이 어느새 1시간가량 지나자 그녀는 이만 갈 시간이라면서 인사를 준비했다.

- 그럼 오늘은 이만 갈게요. 다음에 봐요,

---

[3] 데이식스 - <행복했던 날들이었다 days gone by>

나는 오늘이 마지막이라는 얘기를 할까 말까 고민하다 결국 하지 못했다. 이유는 나도 알 수 없었다.

헤어지는 그녀의 뒷모습은 점점 멀어져가다 나는 가게를 뛰쳐나갔다. 마지막으로 하고 싶은 말이 있었다.

- 수영씨!

- 네?

그녀는 놀라면서 뒤를 돌았다.

- 마지막으로 여쭤보고 싶은 게 있는데, 아메리카노랑 김밥이랑 먹으면 무슨 맛이에요?

그녀는 당황했는지 잠깐 말이 없었다.

- 네? 그야 맛없죠.

- 그럼 그때 왜 먹은 거예요?

그녀는 그 자리에 우두커니 서서 한참을 고민하다 말했다.

- 글쎄요. 아마 바빠서 그냥 먹었던 거 같아요.

마지막 대화가 끝났다. 의문도, 미련도 남기지 않은 채 그녀는 버스를 타고 떠났다.

그녀와의 만남부터 이별까지 그 어떤 개연성도 정당함도 없었다. 그저 마주할 뿐이었다. 그저 떠나갈 뿐이었다.

집에 돌아온 나는 컴퓨터 앞에 앉아 소설의 결말을 수정했다. 남자는 돌아오지 않다가 마지막 날 테니스장에서 만나는 내용으로 바꿨다. 비운의 주인공은 왕자님과 다시 만났다. 여태까지 썼던 모든 글을 처음부터 읽으며 알 수 없는 감정을 느꼈다. 한참을 고민하다 모든 내용을 지웠다. 각색으로 완성된 글은 필요 없었다. 아예 처음부터 글을 쓰기로 마음먹었다. 새로운 이야기, 새로운 인물, 새로운 배경을 상상했다.

글을 각색하면서 등장인물의 마음을 알 지 못했던 건, 주어진 상황에도 이야기를 맺지 못했던 건, 모든 만남과 이별에서 이유를 알지 못했던 건 그보다 중요했던 수영하는 법을 몰랐기 때문이다. 우리의 모든 일은 개연성과 정당성으로만 이루어져 있지 않기에, 기억의 바다에서 아무리 답을 찾으려 해도 그곳에 집착하면 잠식될 수 밖에 없다. 그러니 수영하는 법을 알게 된 나는 몸의 힘을 빼고 천천히 앞으로 나아갔다. 그것이 글을 쓸 때 가장 중요하니까. 난 비운의 주인공이 아닌 인생을 집필하는 삶의 작가니까.

날씨가 조금 풀어진 1월의 오후 11시, 한 비행기가 밤하늘을 헤엄치러 앞으로 나아갔다. 행선지는 캐나다였다. 그곳에는 어떤 이야기 쓰여질 지 궁금했다. 분명 재밌는 이야기일 것이다.

이런 결말이었으면 좋았을까. 그랬으면 뭐가 달라졌을까.

4부

- 저기요.

우산을 돌려주고 길을 가던 그녀는 뒤를 돌아보았다. 용기를 내 말을 건다.

- 혹시, 전화번호 알려주실 수 있으세요?

질렀다. 말했다. 뱉었다. 용기였다.

그녀는 흠칫 뒤를 돌아 잠깐 고민하다 내 핸드폰을 가져가 자기 번호를 두드리곤 나에게 돌려줬다. 내 핸드폰은 모르는 번호로 연락이 가고 있었다. 그녀의 핸드폰이 울리기 시작했다. 그녀는 전화를 받았다.

- 제 전화번호에요. 채수영, 그렇게 저장하세요.

분명 눈앞에 있는데도 핸드폰으로 통화하면서 대답했다.

- 제 이름은 이수영이에요. 반가워요 수영 씨.

그녀에게 말을 걸었던 건 우발적인 실수가 아니었다. 말을 걸고 싶었던 그동안의 관심이 그녀의 선물에 용기를 냈다. 왜냐하면 그녀를 좋아하니까.

수영 씨와는 문자보다는 통화로 자주 연락했다. 일상 이야기, 분식집 단골 메뉴, 캐나다 워홀, 미래의 진로, 수영장에 다닐 예정, 수영의 좋은 점, 좋아하는 노래, 눈길이 가던 시점을 얘기했다.

- 수영 씨 주말에 뭐 하세요?
- 저 이번 주에는 별일 없어요. 왜요?
- 연말인데 캐나다 가기 전에 밖에서 한 번 봐야죠. 맨날 카페에서만 보지 말고.

그녀가 주말에 약속을 잡았다. 12월의 마지막 날이었다. 그녀는 신경 안 쓰겠지만, 나는 나름대로 데이트라 생각했다.

주말이 기다려졌다.

당일, 약속 장소 근처 맛집을 찾아놓고 가장 멋진 옷을 입었다. 긴장이 멈추지 않아 1시간 일찍 나가 기다리던 중 가던 길에 꽃가게가 보이길래 프리지아 꽃다발을 사서 준비했다. 고백하는 건 아니지만 주고 싶었다. 그녀의 햇살 같은 미소와 좋은 말이면 이 꽃이 오래 사리라 생각했다.

3시간째, 그녀는 오지 않았다. 문자도 보지 않고, 연락도 없고. 그녀를 생각하며 산 프리지아만 바라보았다. 그녀가 보고 싶었다.

채수영

핸드폰의 그녀의 이름이 나타났다. 연락이 왔다. 무슨 일일까. 걱정하며 전화를 받았다.

- 수영 씨, 무슨 일이길래 연락을 안 받아요. 걱정되게.

- 이수영 씨? 이수영 씨 맞는가요?

핸드폰에서 낯선 목소리가 들려왔다.

- 네? 제가 이수영 맞는데요? 채수영 씨 핸드폰 아닌가요?

귀를 잠시 떼 다시 이름을 확인해 봐도 수영 씨가 맞았다. 불안한 의문이 들었다.

- 저 수영이 어머니입니다. 수영이가 오늘 교통사고로 차에 치여서 그만

들리지 않는다. 말이 안 된다. 그럴 리 없다. 아니다. 안 된다.

어머니의 말은 들리지 않았고 넋이 나갔었다. 정신을 차렸을 때는 핸드폰에 찍혀진 주소로 택시를 타고 달려가고 있었다. 꽃다발은 시들어가는 것만 같았고 내 마음은 타들어 갔다.

장례식장에서 사람들이 수군거린다. 교통사고였다느니, 안

타깝다느니, 슬프다느니. 수많은 사람이 눈물을 흘리고 그녀의 이름을 불렀다. 마치 나를 부르는 거 같아 초점 없는 눈으로 정신도 못 차린 채 그녀한테 다가갔다.

그곳에는 슬픔에 젖어있는 그녀의 어머니와 환하게 웃고 있는 그녀가 있었다. 두 사람의 눈을 보자 마음속에 있던 무언가가 붕괴되었다. 제대로 된 인사도 하지 않고 뛰쳐나갔다. 인사하면 이게 정말 마지막일 것 같았다. 내가 그녀를 죽인 것 같았다. 눈물이 주르륵 흘렀다.

택시를 타고 집에 오면서 그녀를 생각하며 썼던 글이 떠올랐다. 다시 읽어본다.

테니스장에 다니는 여자는 영화관 알바를 하던 도중 자주 오는 남자를 같은 테니스장에 다니는 사람으로 오해하여 말을 건다. 남자가 자신이 아니라며 손사래 치자 여자는 부끄

러움을 감출 줄 모른다.

　다음 주, 그녀는 테니스장에서 본 남자가 동일인물이 아닌 걸 재확인한 후 부끄러움과 미안함을 동시에 느낀다. 다시 남자가 왔을 때 여자는 남자가 주문한 팝콘과 함께 자기 잘못이라며 버터구이 오징어를 건넨다. 남자는 괜찮다 말하지만, 여자는 밀어 넣는다. 이후 남자는 잘 먹었다고 말했고, 그제야 여자는 웃는다.

　멈춰버린 글 속 시간, 그들은 아직 만나고 있었다. 난 그들의 시간만큼은 이어주고 싶어 그들의 이야기를 덧붙여 써주다 글을 멈췄다. 사실 그들이 아닌 우리의 시간을 이어주고 싶었다. 내가 우산을 돌려줬을 때 번호를 물어보지 않았다면 주말에 약속을 잡지 않았겠지. 그냥 가만히 있었다면 언젠가 우연히 수영장에서 마주쳐 간단한 담소만 나누다 헤어졌겠지. 그렇게 서로의 기억에 잠깐 머물다 사라져 아무것도 남지 않았겠지. 그랬다면, 이렇게 아프지 않았을 텐데.

모르는 이야기에 뒷부분을 상상하고, 개연성과 정당함 없는 이야기를 핍진성이 이뤄질 수 있는 배경을 만들고, 알지도 못하는 상대의 마음을 내 마음대로 쥐락펴락하는 각색이 없으면 난 어떻게 살아가야 하는 걸까. 아예 없던 이야기로 하기에는 영원히 기억에 남고, 그대로 남기에는 너무 슬픈 지옥을 만드는 그대를 내 마음속에 살아 있게 할 방법은 이것뿐이지 않을까. 그러지 않으면 그대는 영원히 죽으니까.

각색마저 하지 않는다면, 난 어떻게 해야 해.

집에 돌아오는 택시에서 그들의 이야기를 모조리 지우고 우리의 이야기를 새로 쓰다 모든 이야기가 완성되었을 때 글은 30페이지가 넘었다. 글을 완성하니 찝찝함과 공허함, 외로움과 슬픔이 밀려왔다.

택시에 내려 길을 방황하다 근처 공원에 이끌렸다. 그곳

벤치에 앉아 문득 손에 쥐어진 프리지아를 물끄러미 쳐다보다 그것을 화장실 쓰레기통에 갖다 버린다. 다시 벤치로 돌아와 앉아 얼굴을 무릎 사이에 파묻고 하염없이 눈물을 흘린다.

그녀는 나를 왜 떠났을까. 내가 그녀를 떠나게 한 걸까. 잊을 수 없는데, 잊힐 수 없는데, 아직 내 글 안에 살아있는데.

― 저기요.

모르는 남자가 다가왔다.

― 이걸로 눈물 닦으세요. 사정은 모르지만 안 좋은 일 있으신 거 같은데 힘내세요. 그럼.

그는 나에게 손수건을 건네주곤 떠났다. 그가 나에게 어떤 의도로 이걸 준 것인지는 알 수 없었다. 그저 상상하고 추측하며 생각의 바다를 헤엄칠 뿐이었다. 그저 그럴 뿐이었다.

그날은 유독 추운 12월의 끝이었다.

박

시

은

아침

박시은

아침이 새벽과 손을 잡는다
오랜만에 모습을 드러내 부끄러운지
얼굴을 붉힌다
그러나 곧 부끄러움을 접고
성큼성큼 내 방으로 들어온다
머리 맡의 알람시계는
누가 찾아왔다며 날 깨운다
밤 동안 같이 놀던
무의식 속 사람들도
급히 작별인사를 한다

그제서야 나는
이불에 스며든 아침을 털어낸다

12월에 가을을 보는 방법

박시은

12월 겨울날
낙엽을 모두 떨어트린 나무는
외로운 민들레 홀씨를 닮았다

5시 어스름
민들레 홀씨를 닮은 나무 뒤로
하늘에 단풍이 피어난다

하늘에 피어난 단풍잎들은
사뿐사뿐 퍼져나가
외로운 겨울 나뭇가지에 몸을 건다

아,
12월의 단풍나무다
12월의 가을이다

찰나의 시간을 뒤로하고
곧 검은 잎만을 드리운 나무가 되겠지만

하늘의 단풍은
고엽이 되지 않으니
아쉬움 또한 찰나의 감정으로 넣어둔다

12월에 가을을 보는 방법이다.

파란 증명

- 엄마, 이건 어때? 바다랑 닮았어?

옛날엔 바다가 존재했었다고 한다. 엄마가 바다를 마지막으로 본 게 8살 때라고 했으니까, 37년이나 됐구나, 바다 없는 세상.

- 음, 비슷하긴 한데...... 응, 뭐, 비슷해.

엄마는 바다를 정말 좋아했었다. 한적한 바닷가 마을에서 태어난 엄마는 스스로를 바다의 딸이라 부르며 매일같이 바다를 찾았다. 저 멀리서부터 스멀스멀 밀려와 하얗게 흩트려 부서지는 파도는 엄마의 근심과 걱정까지도 흩트려놓은 후 그것들의 파편을 모두 쓸어갔다. 서러움의 수도꼭지를 잠그지 못해 멈추지 않는 눈물을, 당신의 서러움보다 높게 넘실거리는 바다에 방울방울 떨어트려 흔적도 없이 스며들게 했다. 그러고선 바다와 둘만의 비밀로 간직했다.

- 도대체 바다는 어떻게 생긴거야......

나는 들고 있던 어항 장난감을 내려놓으며 구시렁거렸다.

엄마는 오래전부터 나에게 바다에 대한 이야기를 해왔다. 바다는 말이야, 넓어. 무지 넓어. 넓고 파란 하늘에 구름이 피어

있는 것처럼, 바다에도 무한의 파란 위에 피어나는 흰 파도가 있어.

사진이나 영상을 통해 바다의 모습을 보긴 했으나, 자료에 스며든 세월 탓에 그 형상만 어렴풋이 알아볼 수 있는 정도였다. TV와 책을 통해 바다에 대한 설명을 수도 없이 접했지만, 엄마가 바다를 묘사하는 방식은 사뭇 달랐다. 가장 추상적이지만, 그 추상은 세필 붓이 되어 바다의 색, 질감, 형태, 그리고 향기까지도 그려나갔다.

.

.

.

딩동댕동......

- 슬아! 윤슬! 너는 어떻게 쉬는 시간마다 그렇게 자냐. 일어나! 과학실 가야지.

- 으으, 다음 시간 과학이야? 가서 잠이나 마저 자야겠다.

오늘도 해준의 도움으로 무사히 잠에서 깨어 과학실로 갈 수 있었다. 과학. 내가 제일 싫어하는 과목이다. 부족한 잠이나 보충할 생각으로 담요까지 챙겨 과학실로 향했다.

해준은 내 오랜 친구다. 같은 동네에서 자란 해준과는 초등학교 입학식 날 처음 만나 중학교, 고등학교 3학년인 지금까지도 늘 함께하고 있다. 툭 하면 바다를 그리는 데 정신을 빼앗겨, 현실마저 바다에 빠트려버리는 나를 뭍 위로 꺼내준다. 그러면서도 내 바다 이야기를 들어주는 유일한 사람이다. 언젠가 같이 바다를 찾으러 나가보자고, 나에게 바다를 꼭 보여주겠다고 약속까지 했다.

.

- 오늘은 비열 단원이네요. 비열은...

지루한 수업이 계속됐다. 책상 위로 얼굴을 파묻고 눈을 감았다.

- 비열 차이는 바다가 있는 곳에서도 찾아볼 수 있었어요.

'바다?'
순간 눈이 번쩍 떠졌다.

- 지금 학생들은 모르겠지만, 오래전 바다에 가면 바람이 많

이 불었어요. 바다랑 가까워질수록 바람이 엄청나게 불었죠. 그 이유가 바로 바다와 육지의 비열 차이 때문이에요. 바다가 육지보다 비열이 큽니다. 그래서 빨리 뜨거워지고 빨리 차가워지는 육지와는 반대로, 바다는 천천히 뜨거워지고 천천히 식어요.

순간 무의식 속 바닷물이 빠르게 밀려 들어와 과학실을 가득 채웠다. 이번에 그려본 바다에는 거센 바람도 더해보았다. 나름 과학적 사실을 새겨 넣으니, 더 이상 상상이 아닌 실제의 기억 떠올리는 것 같은 기분이 들었다. 과학 선생님의 지루한 목소리를 잔잔한 파도 소리 삼은 나는, 나의 바다에 취해 서서히 가라앉았다.

.

.

.

미성숙의 끝자락까지 밀려난 19살은 명시적 성숙을 코앞에 둔 채 위태롭기만 하다. 그야말로 20살이라는 태풍 앞에 놓인 촛불이 된 기분이다. 다들 이제 해방이라며, 이제 자유의 몸이라며 들떠있는데, 난 두렵고 혼란스럽기만 하다. 이제 존재하지 않는 바다를 쫓는 일 따위는 하지 못하는 나이에 들어서는 것 같았다. 누가 뭐라 하지는 않았지만, 그냥 이제 그런 일은 유치하다는 생각이 들었다. 20살이나 됐으면, 바다가 아닌 현실을 그려야지. 공상 속에서의 안식은 여태까지의 세월로 충분하다. 오늘부터 그만하는 거야. 잊어버리는 거야.

내가 가지는 기억의 첫 시작점에서부터 나는 줄곧 바다를 생각해 왔다. 허나 바다를 찾을 수 있을 거란 기대를 가진 적이 있긴 했던가. 언제부턴가 이미 사라진 것을 그리워하는 것은 그에 대한 예의가 아닐지도 모른다는 확신 없는 신념에

물들어, 사실은 바다를 찾고 싶다는 진심조차 잊은 채, 그토록 이기적이게 바다를 그리워만 하고 있던 것 아니었을까. 아니, 난 바다를 본 적도 경험한 적도 없으니, 그리워하다는 표현이 맞는지도 모르겠다. 난 그냥 바다를,

바다를.

.

.

해준에게 물었다.

- 해준아, 우리 벌써 곧 20살이야.

- 그러게, 시간 진짜 빨리 간다. 우리 처음 만났을 때 기억

나?

- 기억나지. 8살 때였잖아. 초등학교 입학식 때. 그게 벌써 12년이나 지났구나.

나는 망설이다 입을 뗐다.

- 20살 되는 기분이 어때? 너도 꼭 해방...... 되는 것 같고, 그래?

- 응 뭐, 그런 기분도 들긴 하지.

- 아......

- 갑자기 그건 왜 물어봐? 딱 보니까 너, 생각이 많구나? 걱

정 쪽인 거 같은데?

- 이런 건 또 귀신같이 잘 알아채네. 응, 난 진짜 모르겠어. 해방된다는 느낌도 진짜 모르겠고, 그냥 뭔가 좀, 마음이 불편해. 무섭기도 해. 차라리 해방되는 기분이면, 속 시원하기라도 할 텐데.

- 무서울 게 뭐가 있어, 그냥 부딪혀 보는 거지. 어차피 겪어야 하는 일이고, 지나가야 하는 길인데, 그냥 부딪히고 보는 거야.

- 넌 어떻게 그래? 항상 그러더라. 겁이 없어, 애가. 난 못하겠단 말이야.

- 음, 술집에 가보자. 1월 1일 자정이 되자마자 가는 거야. 원래 못 하던 건데, 곧 할 수 있는 거잖아. 20살이니까. 해방이니까. 할 수 있게 된 것들을 차례차례 해보는거야.

- ......그래, 그러자.

.

.

.

1월 1일.

20살이 되고 말았다.

약속대로 자정이 되자마자 해준과 함께 술집으로 향했다. 술집은 이제 막 앞자리 숫자를 갈아 끼워 들뜬 사람들로 가득 차 있었다. 그들이 마구 뱉어내는 웃음소리를 겨우 비집고 들어가 구석 테이블로 자리를 정했다. 잠시 뒤 직원이 신분증 검사를 했다. 통과됐다. 당연하다, 우리는 20살이니까. 이제 이런 행위는 얼마든지 할 수 있으니까.

- 어묵탕 하나랑요,

곧이어 익숙하지 않은 문장을 내뱉었다.

- 소주 한 병 주세요.

냉장고에서 갓 나온 초록빛 병은 차가웠다. 작디작은 잔에 성인의 증표를 졸졸 따랐다. 그리고 삼켰다. 으, 이게 뭐야. 과학실 찬장에 항상 들어있던 알코올램프를 들이키는 듯한 맛이 났다. 이것이 성인 됨을 받아들이기에 가장 좋은 방법이었던가? 20살이 되어서, 해방이 되어서 누릴 수 있는 게 고

작 이거란 말이야? 더 혼란스러워졌다. 이것이야말로 바다를 찾아 헤맸던 내 미성숙의 행적보다 더 실속 없는 행위라고 곱씹었다.

그 와중에 아무렇지 않게 잔을 비워내는 해준을 보고, 왜인지 모를 허무함과 자괴감, 두려움을 뿌리 삼아 뻗어나가는 이름 모를 여러 감정들이 섞여 휘몰아쳤다. 어지러운 흙탕물의 감정은 눈물방울로 떨어져 나왔다. 혹시 취해서 그런 것일까? 내가 과학실 알코올램프를 들이켜서 그런 것일까? 잘 모르겠다. 넌 뭐가 그렇게 무덤덤해. 난 너무 혼란스러운데. 너도 다른 사람들처럼 마냥 설레기만 하는 거야? 20살의 첫 날이, 아무것도 준비하지 못한 채 열려버린 20살의 문 앞에서 넌 그저 무덤덤하기만 한 거냐고. 그냥 부딪히는 거, 그냥 지나치는 거, 나는 못 하겠다고. 무섭다고. 무서워 죽겠다고. 20살의 첫날, 해준을 앞에 두고 하염없이 눈물만 뚝, 뚝 흘렸다. 소주를 한 잔 더 마셨다. 눈물과 섞여버린 소주는 짠 과학실 맛이 났다.

과학실......

아,

나 이제 바다 생각 안 하기로 했는데,

그러려고 했는데,

- 나 바다를 보고 싶어. 바다에 가면 바람이 엄청 분대. 지금 내 앞에 바람이 엄청 부는 것 같은데, 바람이 불다 못해 태풍 속에 있는 것 같은데, 왜 바다는 안 보이는 걸까? 바람이 얼마나 더 불어야 바다를 볼 수 있는 걸까? 우리 엄마는 이럴 때 바다를 찾았대. 그냥 하염없이 일렁이는 파도를 멍하니 바라보고 있으면 기분이 좀 나아졌대. 나도 바다를 보고

싫어. 바다는 도대체 어디 있는 거야, 왜 나타나지 않는 거야.

제 감정조차 이겨내지 못한 약하디 약한 사람은 무슨 정신으로 말하는지도 모르는 채 바다를 갈망하는 문장을 쏟아냈다. 내 속의 요란함 정도는 단숨에 덮어버릴 웅장한 파도 소리가 필요했다.

.

.

내 모든 혼란을 가만히 지켜보던 해준은 부드럽게 날 안았다. 1월의 첫날, 20살의 첫 문이 갑자기 열려버린 탓에 매서운 바람을 막을 틈조차 없었던 추운 겨울이었지만 해준의 품은 천천히 따뜻해져 갔다. 그리곤 오래도록 식지 않았다.

그날 밤, 해준의 품에 안겨 울다 지쳐 잠에 들었다. 해준이 내어준 잠 속에서 나는 파란 물을 봤다. 새파란 물이 캄캄한 세상을 가득 채웠다. 가늠할 수 없을 정도로 넓게 자리한 물은 한 몸이 되어 넘실거렸다.

어,

바다다.

웅장한 소리를 내뿜는 바다는 모든 것을 집어삼킬 듯이 달려오더니, 서로 엉겨 붙은 채 부서지며 속도를 줄였다. 날카롭고 단단하게 우뚝 박혀 앞을 가로막는 바윗돌을 향해 겁도 없이 부딪혀 하얀 물살을 온 사방으로 내뿜어내도 다시 유연히 되돌아와서는, 아무 일 없었다는 듯이 작은 자갈들을 부드럽게 쓰다듬고 지나갔다. 그 와중에도 바다 뒷자락을 지키는 새파란 파란의 움직임은 여전히 멈추지 않은 채 언제든 일어날 준비를 하고 있었다.

그 순간, 바다 위로 해가 떠올랐다.

햇빛은 바다 표면을 비추어 깨질 듯이 빛났다. 햇빛의 흔적들은 그들의 생명력을 표명하는 듯 바다 표면을 뜀틀 삼아 열심히 튀어 올랐다. 차마 눈으로 보기가 겁나도록 아름다워 부서진 빛의 조각들을 손으로 잡아보려 했지만, 손 닿기가 무색하게 주위로 흩어졌다.

'햇빛에 비치어 반짝이는 잔물결 : 윤슬'

바다는 언제부터 이토록 반짝이는 목소리로 나를 호명하고 있었던가.

내 모든 시간을 조각해 찾아 헤맨 바다에서,

비로소 찬란한 윤슬을 마주한다.

.

.

.

.

.

엄마, 나 바다를 봤어.

그 아이가 바다를 보여줬어. 나한테 바다를 찾으러 나가자고,

꼭 바다를 보여주겠다고 약속했거든. 드디어 오늘 바다를 봤

어.

엄마, 바다는 사라진 게 아니야. 엄마가 그리워하는 바다는,

어떤 형태로든 언제든 밀려와 어디든 가득 채울 거야. 그렇게, 마르지도 증발하지도 않으면서 제 존재를 증명할 거야. 영원히 파도치면서 조각조각 빛을 품을 거야.

엄마, 바다를 다시 보면, 꼭 알려줘. 엄마의 바다는 어때?

이

수

민

너와 시간을 썼다.

　너와 시간은 썼다. 서로를 가장 사랑했던 부분은 서로가 가장 증오하던 순간을 만들었고 우리의 이끌림을 만들었던 요소는 익숙함이라는 단어에 파묻혀 그 매력을 잃어버리게 되었다. 더 이상 우리에게는 첫 만남의 달콤함은 남아있지 않았으니 거울 속에 보이는 것은 쌓여온 세월을 증빙하는 빼곡한 주름만이 눈에 담길 뿐이었다. 예쁜 것을 볼 때 웃고 있는 네가 어느샌가 떠올랐고 힘들 때 진심으로 걱정해주는 표정의 네가 떠올랐다. 나의 인생에 있어 너라는 존재는 이미 대부분을 차지하게 되어버렸다,

　긴 절차를 마치고 돌아온 시골의 작은 집에는 더 이상 안방 속 온기와 부엌 속 밥의 단내란 느껴지지 않았다. 이 모든 것을 잃어버린 채 내 굳은살 박인 손에 들려있는 것은 너무나도 초라해 보이는 작은 상자 하나만이 존재하였다. 미처 널지 못한 빨랫감은 쩍쩍 갈라졌고 바닥에 말려놓았던 고추는 바람에 휘날려 바닥 여기저기

132

에 뿌려져 있었다. 치워야 했지만 치울 수 없었다. 저런 작은 흔적조차 사라지게 된다면 노년의 가혹한 기억력은 그녀를 먼 곳을 데려갈 수밖에 없을 것이라는 되지도 않는 생각으로 홀로 위로하며 마룻바닥에 앉으라 해가 져가는 것만을 바라보았다. 뜨거웠던 날이 점차 식어가고 인정하긴 싫었지만 그에게 맞게 북받쳤던 나의 감정 역시 점차 냉정히 식어갔다고 나는 이내 받아들일 수밖에 없는 시간이 찾아왔다는 것을 느낄 수 있었다.

'이제 보내줄 때가 된 거겠지'

집 뒤편엔 작은 나무 한 그루가 있는 공터가 있다. 아마 이 집에 터를 잡았을 즘에 같이 심은 나무였던 걸로 기억한다. 즉 이곳에서의 우리의 시작이라고 볼 수 있는 것이다. 나는 그곳에서 이 기나긴 연의 끝마침을 맺고자 한다. 초라한 공터의 초라한 나무 하나 그리고 '나' 너무나 완벽하다고 생각하였다. 공터는 관리를 안 은 지 오래되어 몇 개의 쓰레기와 잡초가 그 배경을 장식하고 있었고 유일한 볼거리인 나무 역시도 곧게 자라지 못하고 휘어진 채 갈색빛으로 물들어가는 입맛을 떨어뜨리려고 하고 있다.

'언제나 사랑했겠습니다.'

지금 생각해보면 너무나도 정석적이고 이룰 수 없는 망상에 가까웠던 고백이었다. 하지만 무엇이 좋아서 나와 함께 하는 시간을 보내기를 원했는지를 모른다. 하지만 그 순간만큼은 우리는 이 세상의 주인공이라는 역할이 되었다는 것을 확신한다. 몇 없는 생생한 기억 속 가장 달콤한 추억이라고 말할 수 있다.

안타깝게도 그 시간은 언제나 생각처럼 언제나 달콤하지는 않았다. 사소한 것에서부터 시작한 다툼은 마치 싸울 계기를 지금까지 찾고 있었다는 듯이 감정을 빠르게 태워 갔다. 하지만 나름 잘 이겨냈다고 생각한다. 이맘때면 언제나 네가 나에게 담날에 주던 타버린 밥 맘이 내게 쌉쌀한 맛을 내게 주었으니 서로를 이해하지 못해 못 할 말을 퍼부었던 지난날은 짠맛이 났고 이러한 여러 맛을 경험하고 나사야 비로소 진정한 의미의 단맛을 느낄 수 있었다. 낙엽들이 눈앞을 날아가다 땅에 떨어지고 만다. 우리도 아마 저런 흔한 낙엽 중 하나였을 것이다. 아마 그랬을 것이다. 바람에 휘날리는 앞에서 작은 노인이 아닌 그 누구보다 너를 위하였고 너 자체를 바라보았으며 사랑이라는 감정으로 함께 보낸 인생의 동반자로서 여정을 마친 너에게 젊어진 마음과 갈라진 목소리로 말을 건네 본다.

"사랑하겠습니다"

이게 내가 건넨 마지막 말이었다.

작은 상자에서 너무나도 작아진 그녀를 꺼내며 자연에 휘날려 보냈다. 그 행동에는 아무 감정도 들어있지 않았다. 그저 자연의 이치대로 돌아가는 과정이었고 그녀도 그렇게 된 것뿐이었다. 전혀 아무런 감정조차 없어야 했다. 곱게 갈린 뼛가루였기에 아픔도 없었고 온기가 없었기에 무언가를 느낄 수도 없는 공허뿐이어야 했다. 하지만 그 공허의 마지막 종착지는 결국 내 마음이었나 보다. 입에 남겨진 깊은 쓴맛과 그 위에서 떨어진 한 방울의 물은 너무나도 짜게 느껴졌다. 나는 그와 동시에 생각했다. 영원한 것은 존재하지 않았다. 그것이 어떤 마음이든 어떤 존재든지 간에 말이다. 아마 나조차도 그러한 결말을 맡겠지. 남은 생각은 오직 '보고 싶다' 그리고 '너 없는 지금 이 세상이 너무나도 두렵다.' 너에게는 내가 있었지만 이제 나에게는 네가 없다. 지금까지 나는 네가 달콤함과 쓴맛을 준다고 생각했지만 모든 것은 너무 늦게 깨달아버렸다,

쓴 세상 속에 달콤함을 준 것이었다.

　너와 시간을 썼다.

서로의 이야기

비가 오는 날 밤하늘을 올려다본 적이 있습니까? 그곳에는 별들이 수놓은 반짝이는 이야기들을 달빛이 주는 서늘한 감각도 느낄 수 없지만 보지 못했던 광경이 나타납니다.

구름 속에는 꽉꽉 막힌 그 사이로 일반적으로 검은 밤하늘보다 더욱 밝은색을 냅니다. 그것이 품고 있는 이야기는 내일에 대한 희망의 빛인지 낮에도 어둡던 하늘의 연장선인지 모릅니다. 하지만 그곳에도 그들이 만들어내는 이야기가 존재할 것입니다. 아마 우리 주변에도 굳이 봐야 하는 필요성을 못 느꼈던 곳에서 색다른 이야기가 펼쳐지고 있을 것이다. 건물 옆 벽돌들 사이 피어나고 있는 작은 새싹이 바라보는 세상의 이야기, 과거의 아름다움을 잃어버린 이야기까지 모두가 각자의 이야기로 빛을 내고 있습니다.

당신의 하루는 어땠나요? 지금은 그저 자그마한 너무나도 평범한 일상이라도 아마 당신의 이야기도 누군가에게는 색다른 영감을 줄 수 있는 매우 가치 있는 이야기가 될 수 있을 것입니다.

타인

데카르트는 말했다.

'나는 생각한다. 고로 존재한다.'

하지만 나는 전적으로 그의 말에 지금 부정하고 있다. 나는 이 시간에 생각하고 있는 동시에 이미 죽어있으니 말이다. 아마 대부분 내가 하는 말이 무슨 말인지 모를 것이다. 나조차도 나를 이해할 수 없으니 말이다. 아마 지금 나와 상담하고 있는 저 의사처럼 말이다.

"잘 들으세요. 당신은 현재 내가 하는 말을 듣고 이를 이해하고 있으며 제 생각을 밖으로 표출할 수도 있습니다. 그러므로 당신의 뇌는 살아있습니다."

물론 나는 의사에 말에 반박할 수가 없다. 그의 말은 내가 생각하기로도 매우 논리적으로 사실적인 측면만을 가르치고 있기 때문이다. 하지만 나는 확신할 수 있다. 나의 뇌는 죽어있다. 나는 정신적으로는 살아있지만, 육체적으로는 이미 죽은 상태다. 나의 몸은 이미 땅에 파묻혀 피는 땅속에 잦아들어 갔으며 살 속은 벌레들의 새로운 보금자리가 되었으며 뼈는 이미 무뎌져 자연 속의 일부가 되었었다. 아마 그랬을 그것이 다 아니 그래야만 했다. 아니면 내 머릿속에 있는 이 공허한 상실감은 무엇으로 설명할 수 있을 것인가.

"당신은 명백히 살아있는 상태입니다. 그리고 이를 깨닫기 위해서는 당신의 상태를 받아들이는 것이 중요한 상황입니다."

나의 상태를 받아들인다. 나는 사실 살아있는 유기체로써 존재한다. 그것이 병원에서 내게 제시하는 하나의 목표이자 목적이었다. 확실히 나도 스스로 지금 일반적인 상황에서 벗어났다는 것을 알기에 이를 이해하려고 부단히 노력하였다. 하지만 그럴수록 나는 나의 존재에 대한 의구심만을 품게 될 뿐이었다, 나는 절대로 나간 상태를 뜻하는 병명을 들어보지는 못하였다. 뇌가 죽었지만, 생각을 할 수 있다는 것을 말이다.

그때 내 머릿속에서는 한 가지 가정이 떠올랐다. 실제로 뇌가 죽어있지만 그런데도 생각을 할 수 있는 새로운 형태 말이다. 어쩌면 나는 나름 특별한 존재일지도 모른다. 그리고 의사는 이 사실을 모르거나 아니 어쩌면 알고 있지만 이를 인정하지 않고 나의 이러한 새로운 발전을 막으려는 존재일지도 모른다. 현재 이 병원에서 믿을 수 있는 사실은 타인도 나 자신도 아닌 내 뇌가 현재 죽어있다는 사실뿐이었다.

매일 같은 말만을 반복하며 나의 경과를 지켜보자는 의사와 이를 이해하는지도 모르는 옆에만 서 있는 간호사 그것이 내게 보이는 하루 풍경의 시작이었다, 이름 모를 여러 약물을 맞고 치료라며 이해할 수 없는 행동을 시키고 나는 이에 대해서 어떠한 의미를 찾을 수도 있는 부여할 수도 없었다. 이 생활의 유일한 변화는 내가 병원의 목표에 맞게 행동하기 시작한다면 점차 여러 가지에 대해 알 수 있다는 것이다. 오늘이 며칠인지 내 주변 사람들이 어떻게 지내고 있는지 그리고 지금 내 상태가 어떤지도 말이다.

병원의 모습은 매우 단조롭기만 하다. 자극적인 색 없는 하얀 색상의 바닥과 벽 그리고 천장 하얀 가운과 플라스틱으로 이루어진 물건들 그리고 그들을 위해 만들어졌지만 이곳의 분위기와 대척점을 이루고 있는 환자들 그것이 병원이다.

"당신은 고타르 증후군이라는 조현병에 걸려있는 상태입니다. 자기 신체가 죽어있다고 생각하는 병이죠. 다행히 지금은 많이 혼전된 상태 같아 보이네요. 얼마 뒤면 아마 지인 분들도."

더 이상 그의 말은 들리지 않았다. 그저 머릿속의 공허함이 많은 혼란이 까맣게 채웠다. 내 머릿속 공허함의 정체가 단순히 망상증 환자에 불과하다는 소리인가.

아니다. 만약 의사의 말이 바르면 나의 상태 역시 호전되었지만 나는 결국 의사를 속인 것이고 나에게 속은 의사의 말을 신뢰할 수 있다. 오히려 내가 생각하기에 나에게는 다른 문제가 있을 것이다. 아무도 모르는 병명을 말이다. 나의 뇌가 죽어있다는 것만이 내가 알 수 있는 유일한 것이기 때문에 나는 과거와는 다르다는 어떤 하나의 증명과 같은 것이었다. 그것이 어떤 형태로든 나는 그 과정을 이해하고 결과를 보아야만 하는 하나의 사실이 생겨난 것 같았다.

나는 죽었다.

모든 일에 있어 언제나 전조가 존재하는 줄 알았다.

그 것이 내가 사회에서 배워온 것들이었고 당연한 이치 중에 하나였다.

그날도 마찬가지였다.

TV 속 보이는 불행한 일들은 내가 아닌 타인의 일들이었고 어떻게 보면 그저 영화 속의 한 장면에 불과한 일이었을 뿐이다.

즉 허상에 가까웠다.

그날도 전조는 보이지 않았다. 특별한 것이 없는 날이었고 그저 평범하게 지나갔어야 하는 날이었다.

자세히는 기억나지 않지만 그저 나에게 일방적인 통보가 내려졌던 것은 기억난다.

그에 대한 나의 감정과 행동은 기억에 파묻혀 잊어버렸다.

그저 내가 아직도 생생하게 기억나던 건 저녁 8시에 언제나 켜져 있던 거실의 불이 꺼져있고 탁자 위엔 정체 모를 종이들이 올라와 있었으며 멍한 눈으로 뉴스 화면만을 조용히 쳐다보시는 어머니의 모습만은 아직도 잊을 수 없이 기억에 남는다.
급하게 연락을 받고 돌아온 집에 서있는 나에게 처음으로 자신 없는 말을 하셨다.

"우리끼리도 잘 살 수 있겠지.?" 그것은 나한테 한 말이 아닌 아마 자기 자신에게 하시는 말처럼 들렸다.

보증문제로 인한 극단적 선택

자살 그것이 40대의 젊은 한 가장의 죽음을 나타내는 가장 적절하고 잔인한 사회의 현실이었다. 모든 것이 흐릿해졌다. 단 한 번도 상상해본 적도 없던 일단 한 번도 가정해본 적 없던 일들이 내게 닥치자 내가 할 수 있는 것이라고는 너무나도 무기력한 물방울들을 만들어내며 사회 속에 남겨진 또 하나의 인물 나와 같은 유족이라는 새로운 신분을 부여받은 어머니를 위로하는 일 하나밖에 존재하지 않았다.
어린 시절의 객기였는지는 몰라도 나는 정말로 우리끼리도 예전처럼 살 수 있을 것으로 생각하며 힘을 내었다. 그리고 어머니도 그런 그것처럼 보였다. 하지만 그것은 오직 나에게만 보였던 환영이었나 보다. 모든 일에는 전조가 없었다.

그날도 마찬가지였다.

그저 일어나자 보았던 모습은 급하게 집을 나가시는 어머니와 마주쳤던 마지막 눈동자 그것이 내가 기억하고 있는 그 날의 마지막 모습이었다. 나는 아무런 소리도 행동도 할 수 없었다. 어떤 말도 행동도 제어할 수 없었다는 것을 알았고 내심 어머니를 이해하고 있었기 때문이다.

그것이 어머니로써의 사인이었다.

9평짜리 작은 방에서 나에게 남겨진 것은 기름때가 묻은 냄비가 있는 부엌과 각종 독촉장이 내게 조여 오는 종이로 이루어진 작은 거실 그리고 모든 것을 추억으로만 놔두었던 우리 집의 장롱 그리고 거울에 비친 어떤 어린 청년의 모습 밖에 없었고 2년 후 나는 과로사로 죽었다.

그것이 나의 사인이었다.

정신병원에서 가장 바쁜 타이밍은 언제나 아침이나 하지만 그중에서 가장 바쁠 때라고 한다면 큰 명절이 가까이 온 날 아침이라고 할 수 있다.

일반적으로 큰 명절날에는 무언가 기쁜 일이 일어나거나 일어나기를 바라는 마음으로 연다.

그렇기에 정신병원의 환자들에게는 이러한 명절이 어울리지 않다. 하지만 모든 것이 반복되고 자신을 포함한 정신병자들이 가득한 이곳에서 면회는 바깥세상으로부터의 유일한 연결점이었기에 모두가 원하였다.

하지만 나는 면회가 가장 싫다.

면회

이는 더 이상 병문안이라고 볼 수 없다.

나를 이미 사회에서 격리된 범죄자 취급처럼 유리벽을 통해 사회 속 일반인들과 격리 시켜놓고 있다.

나는 그 취급이 너무나도 싫었다.

오늘 면회 온 사람은 라키

어떻게 보면 괴팍했던 내 성격 그대로를 이해해준 몇 없는 친구라고 할 수 있다.

내가 지금 이 환경 속에서 가진 감정이 무엇이든 간에 일단 지금 이 시간에 라키와 함께 이야기 할 수 있다는 것은 매우 큰 행운이라고 여기고 있다.

"몸은 좀 어때?"

간단한 질문의 시작이었다.

오랜 만에 만나는 사이기에 예전과 달리 면회실에서는 어색한 공기가 흐른다.

그 분위기를 깨기 위해 약간의 장난을 곁들렸다.

"몸은 안 아프지 정신이 아플 뿐이라던데, 별거 아니야."

다행히 어색함이 약간 풀리는 조금의 미소를 서로에게 지어준 뒤 본격적인 이야기를 시작했다.
특별한 이야기는 없었다.
그저 과거의 추억을 곱씹거나 최근에 밖에서 일어난 어이없었던 일들이 주류를 이루었다.
평소였다면 그저 지나치거나 지루하다며 넘겼을 대화 내용이었지만 지금의 나로서는 그 모든 것들이 너무나도 자극적이게 느껴졌다.

이에 대해 일부분 재제를 먹기도 하였지만 우리는 적당히 돌려 말하며 즐거웠던 추억의 시간을 나눌 수 있었다.
하지만 약간의 변화가 생겼다.

"근데 어쩌다가 들어 온 거야?"

아주 단순한 질문이었지만 나에게는 너무나도 그 의도가 다르게 들린다.

'네가 왜 들어온 거야?'

역시 나도 이 상황이 너무나도 어이없다는 것을 가늠한다.

"아 내가 죽었는데 다시 살아났거든. 근데 병원에서는 이게 처음 있는 일이니까. 인정되기가 어렵나봐."

이 말을 들은 그의 표정은 그저 순수하게 정말 장난인 듯이 받아 들이고 있었다.

"네가 무슨 신이라도 돼?"

그는 약간의 웃음을 흘린 뒤 굳어져 있는 내 표정을 봄으로써 천 천히 그 역시 나와 같은 표정이 되어간다.
아 역시 너도 그렇구나.

"난 이미 죽었어. 이미 나는 땅 속에 묻혀 썩어 들어가 죽었는데 어쩌다보니 다시 부활하게 된 거야. 정말 기 막히는 일 아니냐?"

급하게 면회는 종료되었고 라키는 아무말도 하지 않았다.
왜 다들 내 말을 믿지 않는 것일까
분명 나는 죽었었는데
일반적이지는 않더라도 나는 확실히 죽었다.
이것만큼은 누구도 반박하지 못한다.

그 후로 나에게 면회실은 언제나 다른 사람들이 들어가는 문으로 변질되어 있었다.

그 후로 나에게 온 유일한 편지에 적힌 문장은 정리하자면 네가 아픈 것 같고 치료 열심히 하라는 말을 장황하게 써놓았다.

이해할 수 없다.

이미 나는 나를 둘러싸던 많은 것들 너무나도 바뀌어있었다는 것을 알 수 있다.

그래 나는 망가져 있다.

나는 더 이상 예전과 같은 사고와 행동을 할 수 없는 다른 어떠한 존재가 되어있었고 이에 대해 친구는 내 생각을 이해하지 못하였다.

이해할 수 없었다. 이해시킬 수 없었고 이해를 구할 수 없었으며 이해될 수 없었다.

그래 의사라면 알지 않을까? 현재 나에 대해서 그리고 나를 이해할 수 있지 않을까? 하지만 이에 대해 대답은 너무나도 나를 차가운 문장으로써 내던져버렸다.

"오히려 인간관계에 대한 접촉으로 생각이 많아졌다는 것이군요. 알겠습니다. 당분간 지인들을 받지 않는 것으로 하고 약을 바꿔보도록 하겠습니다."

그래. 아무도 이해할 수 없었다.

나는 세상 속에서 고립됐다는 것을 분명히 느낄 수 있었다. 그래 나는 역시 죽은 것이 맞았다. 나의 머릿속에 느껴졌던 공허함과 내 몸에 대한 위화감의 의미를 드디어 비로소 깨달을 수 있었다. 뇌가 죽은 것이 아닌 '나'가 죽은 것이었다.

며칠을 생각했다. 기존의 '나'가 죽었다면 지금 이 공간에서 숨을 쉬고 존재하고 있는 나는 누구지? 기억만을 이어받은 다른 존재인가 아니면 이 모든 것 역시도 나의 단순한 착각이라는 것에서부터 파생된 허황에 불과한 것일까? 너무나도 많은 것이 다르다. 즉석커피 냄새가 났던 내 고유의 일자리는 이제는 말로 형용할 수 없는 이상한 약품 냄새가 나는 병실이었고 내 주변 사람들이 보내는 시선과 그 주변들조차 너무나 매우 다르다. 나는 과연 '나'인 걸까? 아니 애당초 내가 '나'가 맞더라도 지금으로서 둘을 같은 존재로 받아들일 수 있는 것인가? 찢어진 눈길 사이로 보내는 가식적인 눈빛과 비웃는 듯한 입 꼬리로 자신의 위치를 실감하는 듯한 사람들 마음은 물론 몸까지 망가져 가고 있는 내 몸에서 나타나는 지독한 악취 돌발적인 행동을 감시하기 위해 달려있다는 방 구석진 곳에서 나를 감시하고 있는 카메라 사이로 나를 비웃고 있을지도 모르는 수많은 사람 그래 나는 받아들여야 한다. 그래 마치 저 책상 위에 컵과 같다. 컵은 오롯이 존재하지만, 그 내용물은 계속해서 바뀐다. 그것이 바로 나였다. 그 물은 이미 어딘가로 사라져버린 것이다. 물이 사라지자 컵은 비로소 느낀 것이다. 바로 내가 죽었다. 더 이상 컵으로써의 이용 가치가 어렵다. 하지만 물이 채워지고 나서 나는 살아있다는 것을 느꼈지만 내가 컵인지 아니면 누군가에게 마셔진 물이었는지를 잊어버리게 된 것이다.

컵을 재빠르게 쥔 뒤 물을 마시고 다시 채워놓고 바라보았다. 그리고 드디어 나는 받아들일 수 있었다.

이것이 바로 내 위치고 이것이 바로 현재의 나다. 과거의 '나'는 죽었다. 오직 그의 몸에 나라는 존재가 탄생하여 살아가고 있을 뿐이다. 그것이 내 몸이 내 뇌가 죽었다고 인식한 이유였고 그것이 나에게 주어진 또 한 가지의 사실이었다,

내가 더 이상 이곳에 있을 이유는 존재하지 않았다. 나는 나로서 존재하고자 하였으니 '나'를 찾기를 원하는 곳에 있을 이유는 없었다. 그러니 이제는 다시 목적에 맞게 행동하며 '나'인척을 해야 했다. 그것이 나를 바라보는 모두가 원하는 결과일 것이니

일부로 지인들은 만나지 않았다. 그들은 나의 지인이 더 이상 아니었으니 다만 확실히 말할 수 있는 것은 병원 측이 제시한 목표에는 더욱 빠르게 다가가고 나서이었다는 것이다. 나 역시도 어느 정도 병원 치료에 대한 효과가 확실히 있었는지 정신적으로 과거보다 안정감을 찾게 되었다. 그럴수록 내가 이곳에서 벗어나려고 하는 욕구는 늘어만 갔다.

어느덧 이제는 퇴원이라는 절차 직전의 마지막 상담 일이 다가오게 되었다. 의사는 마치 자기 능력을 입증하였다는 태도로 매우 자신감이 넘치는 상태였고 나는 오히려 그의 모습을 보여 웃음을 참기 위해 노력하고자 하였다.

아무한테도 말을 하지 않았기에 문밖에 기다리는 이는 아무도 없

었다. 그저 몇몇이 정신병원에서 나온 어떤 이에 대해 경계하는 눈빛만을 내비칠 뿐이었다. 2년 만의 보는 풍경은 나에게 있어 큰 영감을 주지는 못하였다, 다만 한 가지만은 느낄 수 있었다. 이제부터의 사회에서는 나로서 살아가야 한다는 것을 말이다.

나가는 과정 따위는 생각나지 않는다. 자신도 데려가라고 소리쳤을 환자가 있었는지 나를 축하해주는 간호사들이 있었는지조차도... 그저 내가 보이는 이 순간의 풍경만을 지긋이 바라보다. 세상으로부터의 탄생에 대한 약간의 눈물만을 흘렸다. 나의 세상이었던 병원에 더 이상 배웅하려는 사람이 없었어도 새로운 세상에서 나를 맞이하러 온 사람조차 없었어도 그저 한 없이 기쁘다. 먼지가 껴뿌연 하늘의 공기가 병원에서의 답답한 깨끗한 공기보다 상쾌하게 느껴졌고 옷깃 틈사이로 느껴지는 겨울의 냉기가 현재 내 위치를 알려준다.

"그래 나는 이것으로써 태어난 것이다"

사실 병동에서 나오자마자 들어가려고 한 이 장소 역시도 많은 고민을 겪었다. 과연 내가 '나'의 집을 이어받아도 되는지 말이다. 하지만 아무리 부정하려고 해도 내가 그로부터 파생되어진 존재라는 점으로써 그의 흔적을 한 번에 다 지워버릴 수는 없다. 부모가 자식의 집에서부터 시작하는 것처럼 나 역시도 그의 집에서부터 시작하는 것이 옳을 이치가 맞다. 그는 소규모 아파트 단지 9평짜리 2룸을 잡고 생활했다. 나 혼자서는 너무 큰 집이 필요 없을 것이라는 말로 자신을 속였지만 그건 아니었다고 생각한다. 여러 흉악한 소문들과 지역 개발 기피 구역이라고 낙인찍힌 지역에서 싼 값에 나온 저가 매물이 그곳이었기 때문이다. 2룸이었지만 그는 원룸으로 살아갔다. 한 곳은 부모의 유품과 믿음의 상징을 두어 지난날의 후회와 함께 눈물로 나를 키우던 장소였고 그 나머지는 바닥에 던져진 이불과 한 몸이 되어 바뀌어가는 계절의 기온과 현실의 피로와 피 없는 사투를 벌이던 곳이었다. 집이라기엔 너무나도 얼룩져진 곳이었다. 철장 안의 창문으로 보이는 방에는 그림자로만 가득 차 있어 보이지 않는다.

마침내 문고리를 잡고 돌리려던 찰나...

"아 맞다. 에보가 있었지"

까먹고 있었던 현재 방안의 생활인에게 실례가 될 것을 알기에 조심히 노크를 하고 천천히 문 안으로 몸을 밀어 넣는다. 가장 먼저 눈에 들어오는 것은 급하게 나가느라 뒤섞여져 있는 신발들과 얼룩들 그리고 그 너머로 보이는 정리되지 않은 옷가지와 짐들이 나란히 있다. 오랫동안 방치한 설거지와 쓰레기들에서 나오는 심한 악취와 갑작스러운 움직임들로 일어난 먼지들이 뿌옇게 시야를 방해하며 나를 반겨준다.

"와, 드디어 왔네. 집에는 오랜만에 오지?"

부스스한 머리를 하고 있는 에보가 방에서 기어 나오며 인사를 했다.

"모르겠다. 오랜만이라고 해야 할지. 처음 왔다고 해야 할지. 지금은 무언가 익숙하지만 어색해"

에보는 어딘가 찌뿌둥한 얼굴로 묻는다.

"무슨 말인지 이해가 잘 안되네. 천천히 설명해줄 수 있어?"

"조금 시간이 필요한데 괜찮아?"

그는 천천히 고개를 끄덕인다.

막힘없이 말이 계속해서 나왔다. 내가 여기까지의 생각을 갖추게 된 사건과 배경 그리고 내가 느끼는 감정까지도 현재의 나는 그에게 있어 처음 보는 존재라는 것을 인식하면서도 이렇게 말이 쉽게 나왔다는 것에 대한 약간의 의문감만 들뿐 큰 어려움은 존재하지 않았다. 그저 한 마디로 정의할 수 있을 것 같았다. 우리는 가끔 이질감이 들었을 정도로 잘 맞아 떨어졌다. 특히나 그는 나의 생각에 대해 특별한 반론을 제시하지 않았다는 점이다. 그는 그저 온전히 그대로 나를 이해하는 것처럼 느껴졌다.

"그래서 정리를 해보자면 너는 지금 내가 원래 알고 있던 '쿠펜'과는 결과적으로는 다른 사람이라는 거지?"

"그렇지. 나는 그 전의 '쿠펜'이 이미 죽었다고 생각해. 그래서 지금의 내가 여기 있는 것이고"

그는 잠시 생각하더니 나에게 있어 아주 결정적인 질문을 던졌다.

"앞으로는 멀 할 거야? 너의 말대로라면 '쿠펜'이 아닌 너로써 살아가고 싶다는 건데. 하고 싶은 것이 있어?"

아주 오래전부터 생각해오던 질문 그리고 그에 맞추어 아주 오랫동안 고뇌하던 답변을 내놓았다.

"일단 '쿠펜'을 정리할 거야. 그리고 멀리 떨어진 시골... 그곳에서 다시 시작할 거야. 무엇이 되든지 일단 멀리 떠나고 싶어."

에보는 잠시 미소를 짓고 이내 고개를 돌리더니 넌지시 말했다.

"그래, 그런 것도 좋을 것 같아."

그 미소에는 많은 감정들이 무디어져 있었다. 나는 그 감정의 의미가 궁금하여 물어보려고 하였지만 어째서인지 이를 외면한 채 고개를 돌린 곳에서 본 집 안의 쓰레기에 대한 물음으로 도피하였다.

"근데 좀 많이 지저분하지 않아? 한 번도 청소를 안 한 것 같아"

"안하긴 했지. 나도 그동안 바빴거든... 그래도 이건 정리하긴 해야겠다. 이대로 두는 건 사람 사는 집 같지가 않아. 좀 도와줄래?"

이것도 역시 정리하는 과정이겠지. 아니 오히려 시작을 집 청소에서 시작한다는 것에서도 큰 의미가 있을 것 같다. 여기는 그의 끝이 있던 곳이자 나의 태동이 시작되었던 곳이었으니 말이야.

그렇게 나는 에보와 함께 '쿠펜'의 흔적들을 천천히 지워가기 시작했다. 그의 사진첩과 벽면에 붙어있는 시원한 해변이 보이는 여행 포스터와 쾌쾌한 냄새가 나는 옷가지들 이부자리들 모든 것들을 버렸다. 쓰레기통 안에는 각종 보험사와 은행에서 온 독촉장이 잘게 찢어져 있었고 나라에서 온 생활보조금과 세금 징수에 관한 우편이 대조적으로 나타나 있었다. 하지만 차마 쿠펜 부모님의 유품은 함부로 건드리지 못하였다. 아직 남아있는 찝찝함의 문제도 있었지만 아무리 그래도 내가 다른 사람의 유품을 건드린다는 생각 때문에 버리지 못하는 일말의 죄책감이 있기 때문이다. 그래 그래서였다. 모든 것을 정리하고 환기를 시키는 집안에서는 더 이상 전의 모습은 사라진 것 같았다. 전과는 완전히 다른 집이라고 할 수 있다.

자기 전 오랜만에 안 보이는 꽉 막힌 하얀 천장 대신 베란다 옆으로 보이는 고요한 검은색 하늘 밤하늘의 별은 하나도 보이지 않지만 그저 높게 떠있는 저 달 하나면 충분하다. 고요해야만 하는 시각에 고성방가 하는 술꾼들이 있었지만 무엇인지 모르게 오히려 그게 더욱 편하고 아늑하게 느껴지는 것은 무엇일까? 오히려 가로수길 의작은 불빛은 저들과 더욱 조화롭게 어울려지는지도 모르겠다. 이제야 보이는 밖과 집 내부가 주는 단조로움 어쩌면...이런 풍경도 나쁘게 보이지는 않는 것 같다. 나는 별 시답지 않은 생각을 하며 하루를 마무리했다.

"어이..."

누군지 모르는 어떤 중년의 남자 목소리가 들린다.

"거기 더 짜릿하게 움직하게 못혀?"

그래 작업반장의 목소리다.

"아 넵 죄송합니다."

그리고 그에 대답하는 젊은 청년 그래 바로 쿠펜이다. 쿠펜은 세상에는 이유 없는 악의는 없다고 생각해온 순진한 사람이었다. 그래서 그가 자신을 회되게 구는 것이 자신이 일을 못했기 때문이나 학생시절의 선생처럼 자신을 이끌어주는 것으로 믿고 있었다. 하지만 오히려 그렇기에 순수한 악의는 쿠펜의 마음에 더욱 큰 자극을 주었다. 사람이 그저 마음에 들지 않는다는 이유로 얼마나 악독해질 수 있는지를 그는 그제야 깨달았다. 일정 수입을 교육비나 소개비라는 명목 하에 뜯어가는 것은 기본에 개인 용품 갈취는 물론 여러 작업에 대한 독박을 참 많이도 쌓아왔다. 하지만 그가 그러한 악의에 대해 직접적으로 상처를 받은 것은 그 사람으로부터 파생되었지만 그로부터 받아 들려진 것은 별로 없었다. 그저 나와 그를 둘러싼 사람들이 보내는 명확한 목적을 지닌 눈빛이었다. 무리에서 떨어져 나간 작은 장난감에 불과한 짐승 그것이 바로 나였다는 것을 깨닫는 것에는 아무리 눈치가 없던 쿠펜이라도 그리 오래 걸리지 않았다.

"거기, 야!"
악의에 물들지 않으려 노력했던 한 순수한 생명은 그렇게 갈가먹히고 있었다.

모두가 '나'고서 기억하고 '나'고서 대하였다. 하지만 나는 그것에 어떠한 대꾸도 할 수 없이 나 자신을 속여야만 했다. 하지만 이렇게 살아가다 보면 결국에는 나로 살 수 없는 과거의 '나'에게 종속돼 사는 것이 아닌가?
그러한 꿈의 감상평을 남기며 깨어났다.

눈을 뜨자 보이는 것은 화장실에서 마침 나오고 있는 에보의 얼굴이다.

그래 나는 그와는 아무 상관도 없는 사람이다. 나에게는 이미 그저 조금 감명 있게 본 영화와 다름이 없다. 그는 더 이상 이곳에 없고 존재하지 않는다. 그래 나는 이미 그 사실을 알고 있다.

하지만 그럼에도 불구하고 내가 아직까지도 그의 그림자를 보고 있다는 것은 내가 아직까지 그의 흔적과의 연관성을 끊어내지 못한 것을 뜻하는 것 같다. 그리고 나는 그 점을 도저히 버틸 수가 없다. 이것은 마치 나의 존재를 부정하는 것과 같기 때문이다.

나는 급하게 나갈 채비를 간단하게 마치고 나갈 준비를 하였다. 그 모습은 본 에보는 퉁명스럽게 나에게 질문을 던졌다.

"오늘은 그래서 무엇을 하려고?"

급하게 신발을 신던 중 들려오는 질문에 고개를 돌려 새로운 시작을 말했다.

"다 지웠다고 생각했는데 아직 아니더라고 그래서 이제 행동으로 극복해 나가려고..."

그래 이제는 직접적으로 이 사회 속에서 내가 '나' 쿠펜과는 다른 사람이었다는 것을 나타내야만 한다. 그래야 내가 여기 존재한다는 것을 입증하고 알릴 수 있다.

"그래 그럼 알았어. 나는 오늘도 여기 집에 있을까 싶어 필요하면 연락해."

문을 열고 나간 집 밖에는 추위 속에서 더욱 냉대해진 배경이 나를 기다리고 나는 그에 맞추어 새하얀 입김을 뱉어냈다.
이제 나의 존재를 알릴 때가 되었다.

나는 아직도 '쿠펜'이 사라졌다고 생각한다.
하지만 타인에게 있어 나를 쿠펜으로 알던 사람들은 그 사실을 모르기에 나는 '쿠펜'으로 기억하게 될 것임이 분명하다.
나 혼자 '쿠펜'이 아니라고 주장해도 다른 사람들에게 있어 나라는 존재는 즉 하나의 장난이나 아직도 고쳐지지 못한 정신병에 걸린 사회 부적응자로 비추어져 보여도 할 말이 없다.
그렇다면...
결국 되찾은 나는 다시 쿠펜으로 돌아가는 것에 불과하게 되어버리는 것 아닌가?
절대 그런 일은 일어나서는 안 된다.
그렇기에 나는 철저히 빠르게 모든 면에서 나와 그의 차이점을 입증해야만 한다.

그렇다면 '쿠펜'을 기억하는 사람들이 그를 생각할 때 가장 먼저 떠올리는 것이 무엇일까?

나는 조용히 지갑에서 신분증을 꺼내 쿠펜이라는 이름을 지긋이
보았다.

이름표처럼 따라붙는 그 꼬리표는 내가 아직 '쿠펜'이라고 주장
하는 듯이 여기저기 붙어있었다.

무작정 구청으로가 필요한 서류를 뽑고 관할 법원에 개명 신청을
넣었다.

찍히는 카드 내역과 관련 서류 작성 중에 필요한 서명 모든 부문
에서 '쿠펜'이라는 이름이 그렇게 싫어질 수 없었다.

어떻게 바꿀지는 고민조차 하지 않았다.

아니 못했다는 것에 가까웠던 것 같다.

나에게 불러지는 이름이 '쿠펜'이라는 것이 마치 나의 정체성을
과거에 잡아두고 있는 것처럼 느껴졌기 때문이다.

내가 무엇이 되던 어떤 역할을 배정받든지 그 역할은 이름 뒤에
붙는다.

이름이 그 사람의 직접적인 상징성을 가지고 있다.

그렇기에 그 무엇보다 중요한 이름이었기에 '쿠펜'을 바꾸려고
하였지만 막상 법원에 제출할 서류에 대해 어떤 이름을 제출할지에
대해서는 고민해보지 않았다.

그저 지금 바꾸고 싶다는 욕망에 가득 찼기에

"빨리 해주셔야 뒤에 분들도 기다리지 않고 업무를 보실 수가 있습니다."

독촉하는 공무원은 여유 있고 친절한 눈웃음 끝에 깊이 잠들어있는 귀찮은 듯 한 눈빛이 나를 쏘아보는 것이 느껴진다.

"아 넵, 죄송합니다."

나는 무심한 듯 대답하고 이름의 가치는 앞으로 만들어나간다는 되도 않는 의미를 머릿속으로 되새기고 급하게 글씨를 종이 위로 휘갈겼다.

'브라이트'

나는 브라이트가 되었다.

아직까지 절차 때문에 내가 브라이트가 된 것은 아니었다.
하지만 아제는 나는 브라이트로 불릴 것이다.
사람들도 이를 알게 될 것이고 그럼 이제 완전히 나는 브라이트로 존재하는 것이다.

하지만 집에 돌아가는 길에 느껴지는 이 고요함은 무언가 아무것도 없는 편안함보다는 깊은 허무감이 느껴진다.

과연 이 감정은 나는 어떤 식으로 해석할 수 있을까

이것은 오랜 고민의 해결 끝에 느낀 허무일까

아니면 나 자신에 대한 일말의 죄책감일까

그러한 생각 끝에 다시 나는 '나'의 집에 돌아왔다.

언제나처럼 불이 꺼진 집 그리고 에보는 무표정으로 서있다.

아침과 다른 거라고는 언제나 정돈되지 않았던 머리가 깔끔하게 손질되어져 있다는 것만 빼면 말이다.

"혹시 머리라도 했어? 잘 어울리는 것 같아"

"어...나도 이제 좀 바뀌어야지"

짧은 말끝에 맴도는 침묵 속의 어색함이 간지러워 나는 얼른 말을 꺼냈다.

"나는 이제 브라이트야. 물론 네 입장에서 모든 걸 이해해 줄 거라고 생각하지 않지만..."

" ..."

"그냥 앞으로는 브라이트라고 불러줬으면 해서. 쿠펜이 아니라 브라이트로"

그는 잠깐 생각에 잠긴 듯이 고개를 숙이더니 약간의 미소를 보이며 말했다.

"그래 이제는 결정했나보다. 브라이트 정말 잘 됐다."

왜 우리는 더욱 멀어져가고 있는 것처럼 느껴질까

나는 한 달의 기간동안 브라이트로써 쿠펜의 흔적들을 조금씩 지워나가기 시작하였다.
라키와의 관계 역시 서로의 이야기 끝에 완전히 끝냈고 쿠펜의 종교적 신념마저 모든 인연들을 차근차근 끊어냈다.
이제 모두가 나를 쿠펜으로써 기억하는 것이 아닌 브라이트로 기억하고 있을 것이다.

비로소 나로 존재한다는 감정들이 점차 충만해져가고 있다.
그리고 이제는 나의 마지막 고리이자 쿠펜의 마지막 기억이 잠든 곳을 보내주려고 한다.
바로 이 집이었다.
하지만 이 집은 나만의 것이 아니라는 점이 가장 중요한 점이다.
에보 역시도 이집의 명백한 주인이기에 나는 그에게 몇 차례나 이에 대해 말하고 매우 싼값에 이집을 완전히 소유를 돌리려고 하였으나 그는 매차래 단칼에 거절하였다.

바로 지금도 말이다.

"에보 정말로 사지 않을 거야? 내가 이런 말하기는 조금 그러지만 이건 정말 몇 없는 기회라고 가격대가 이 정도인 곳은 진짜 얼마 없을 걸?"

처음 만날 때와는 완전히 반대로 깔끔한 옷차림의 에보가 내 눈 앞에 서있었다.

"아니 내가 이 집에서 할 것이 더 없을 것 같아. 이정도면 보내주는 게 맞아"

솔직히 그렇게 이해되는 말은 아니다.

에보는 나보다도 이집에 더욱 오래 살며 집에 있는 시간이 더욱 많았고 이에 대한 특별한 불편함을 따로 표시한 적 역시도 없다.

하지만 그가 나의 행동에 크게 의문을 표하지 않은 것처럼 나 역시도 그에게 이에 대한 질문을 하지 않았다.

"그렇다면 나는 이제 이 집을 처리하고 올게. 나중에 짐 뺄꺼면 따로 말해. 도와줄게."

그 말을 집 안쪽에 흘리며 나는 이제 이 집주인으로써의 마지막 발걸음을 띄웠다.

밖에는 새하얀 눈들이 조금씩 세계를 하얀빛으로 덮어가고 있었다.

사실상의 껍값이라고 불리는 아주 작은 돈 그것이 그 집의 가치였고 나 역시도 그렇게 생각한다.

하지만 그 작은 돈이 주는 가치보다 내가 완전히 그에게 벗어났다는 해방감이 가장 컸다.

집은 역시 가격이라는 메리트 때문에 매우 빠르게 팔려나갔다.

아마 쿠펜과 같은 사람이 들어갔을지도 모른다.

이사회 속에서 끝없이 발버둥치는

나는 나의 작은 독백을 하며 소유권에 대한 처분, 나에게 대한 속박을 푼다는 칸에 나의 자취를 남김으로써 이러한 독백을 끝으로 풀려났다.

이제는 주인이 아닌 나가야하는 사람의 입장으로 집에 돌아왔다.

언제나 보였던 에보는 더 이상 집에서 보이지 않았다.

...

아마 새로운 집을 알아보려는 거겠지

마지막으로 집의 짐들을 정리하기 시작했다.

그리고 이제야 말로 쿠펜 부모님의 유품을 버렸다.

그것은 더 이상 나에게 어떠한 의미도 갖추지 못했으니 아무 쓸모가 없다.

텅 비어버린 집 안 시간은 어느새 12시를 넘어 새로운 날이 시작되었다.

모든 짐들을 정리했다.

모든 미련은 버렸다.

근데 왜 이렇게 마음속이 찜찜한 것일까

막상 떠나려 하니 아쉬움이 남기도 하나보다 그래도 1달간의 추억 속을 이곳에 묻었으니 말이다.

복잡해진 머릿속에 잠이 오지 않을 것 같다.

아무래도 산책을 하면서 내 맘 속을 정리해야 할 것 같다.

이제는 완전히 새하얀 세상 속 내일 아침이면 수많은 바퀴들에게 더럽혀질 눈들을 밝으며 자국을 만들어낸다.

별건 아니지만 소복이 쌓인 눈이 들어져 가며 내는 소리가 나름 재미가 있다.

동네를 돌며 내가 아직 하지 않은 것들이 있나 생각해본다.
쿠펜의 지인들과 그가 있었음을 표시한 기록물들 모두가 이제 나로
써 채워졌다.

그렇게 내 나름대로 만족을 하며 늦어진 새벽길을 걷고 있었는데
허름한 반소매를 입은 한 노인 거지가 눈에 들어왔다.
그는 멍하니 자신의 건너편 길을 가만히 바라만 보고 있을 뿐이
었다.
어딘가 그의 신비한 모습에 이끌려 걸음을 옮길 수밖에 없었다.
그래 마지막으로 빼먹은 것이 있었다.
이것으로 나는 완벽하게 이 세상에서 나와 '나'를 타인으로 구분
할 수 있을 것이다.
그는 오히려 나와는 어떠한 연결점도 없었던 이였기에 말이다.
즉 완전한 '타인'이다.

주머니 속 지폐를 한 장 꺼내 그에게 건네주며 말했다.

"혹시 저의 고민을 들어주실 수 있을까요?"

그는 지폐를 챙기며 왼쪽 위의 송곳니와 아래쪽 2개의 치아가
빠져있고 치열이 고르지 않은 누른 이를 드러낸 웃음으로 내게 말
하였다.

"못 해줄게. 뭐가 있을까 이 정도면 손님이지 마침 이야깃거리가 필요하던 참이라서"

그때 불어오는 갑작스러운 새벽바람에 몸을 움츠리며 추위에서 벗어나기 위해 지금까지 내가 겪어온 일들을 추려내 말해주었다.
그의 겉모습과는 달리 그는 진지한 태도도 나의 이야기를 들어주며 깊은 생각에 빠진 듯 보였다.

"그렇기에 마지막 저의 사상적인 부문에서조차 저는 과거의 '나'와는 전혀 다르다고 할 수밖에 없습니다."

그는 다 듣고 나서는 내심 안타깝다는 표정으로 나를 바라보며 입을 열었다.

"무언가 이상하다는 건 자네도 이미 알고 있지 않나? 그를 거부하기 위해 한 행동들은 당신이 이를 신경을 씀으로써 무의식적으로 나오지 않도록 하려는 행동으로부터 하게 되었다는 것을 말이야."

그저 대충 한마디만 듣고 빠르게 돌아가려고 했던 나에게 있어이는 결코 참을 수 없는 말이었다.

"그래서 그 과정이 어떻게 되었든 그이를 통해서 벗어났다는 것이 중요하지 않나요."

물론 저 거지의 입장에서 내가 하는 말은 이해하기 어려울 것이다. 그의 말 역시 어느 정도 논리적인 측면을 가르치고 있으나 그 결과 내가 달라졌다는 결과만은 나 스스로가 증명하고 있는 논제에 쳤다. 그래 보통 이 정도면 그냥 그렇구나 하고 넘어가겠지. 웬 미친 인간을 봤다면서

하지만 그는 헛웃음이며 다시 말을 이었다.

"들으면 들을수록 참 어이없는 사람일세. 참, 나 그렇다면 내가 갑자기 의도적으로 자네에게 어이구 신사님 그러셨군요. 죄송합니다. 하오나 그것이 아니고 와 같은 멍청한 단어로 자네를 반겨준다면 지금의 나와는 다른 사람인가?"

나는 아무 말도 할 수 없었다. 왜 그러는지는 몰랐다

"자네에게는 미안하지만, 자네가 말한 것은 그저 한 마디로 정의할 수 있어. 당신은 그저 '나'의 세계에서 도피하기 위해 억지로 바꾸고자 하는 것 아닌가?"

헛소리에 불과하다.
전혀 아니다

"이미 저를 부르던 이름은 뒤바뀌었고 그가 가지고 있던 것은

더 이상 저에게 없습니다. 그러면 그게 도피라고 한들 저에게 있어서 새로운 시작이라고 할 수 있는 것 아닌지요?"

그는 떨리는 목소리로 나지막이 말했다.

"이제 이름 말고는 아무것도 남지 않았다고 했지? 이름은 그 사람의 정체성이 들어가 있고 그런데 이미 그 이름은 불러줄 사람조차 남아있지 않다면…… 반대로 자네는 스스로를 살아있다고 주장할 수 있는 것인가?"

이건 나에게 물었던 스스로의 질문인데?

"자신 수르로가 생각하던 '나'는 이미 망가져 버릴지 오랜 시간이 지났기에 받아들일 수 없었고 그 변화를 받아들이지 못하였다."

…….

"즉 자네는 지금 자신에 대한 불신과 기억의 인식 그리고 변해버린 대상 그 모든 것들로 인해 혼란을 겪고 있는 중인 거야. 그렇다면."

나는 그 자리를 박차고 일어나 단순에 뛰어나갔다. 왜 인지 눈은 뜨고 있었지만, 앞이 보이지 않았고 귀는 열려 있었지만 들리지 않았다.

그저 저 멀리서 [나는 너 일일까?] 라는 이상한 소리를 뱉는 거지의 목소리만 작게 들릴 뿐

몇 번씩 사람들과 부딪히며 그 사람들이 부르는 시끄러운 고함이 내 뒤통수에서 점점 멀어져 가는 것을 몇 차례를 겪을 때쯤.
누구도 멈추지 못했던 나의 뜀박질은 하수도 구멍에 발이 걸리며 너무나도 허무하게 상체가 넘어가 버리고 만다. 아무 생각 없이 그저 다시 일어나 뛰려고 하던 찰나에 다리에 힘이 풀려버리며 쓰러져내셨다.

그제야 못 보던 것들이 보이고 느껴지기 시작하였다. 전체적으로 멍이 들었는지 온몸이 쓰렸고 무릎에서는 바지의 단면 사이로 조금씩 적색 빛으로 물들어가는 것이 느껴졌다.

도저히 일어설 수 없어 그저 몸을 돌렸다. 그 행동에는 아무 의미도 없었다.

몸을 돌려 보지는 하늘은 밤중에서도 구름이 뒤섞여 정처 없이 떠돌아다니는 것이 보인다.
깊게 호흡하자 그제사야 뜨거웠던 숨을 내뱉고 어느 때보다 차디찬 공기를 내 폐에 최대한 가득 채운다.

처음 세상에 나왔을 때만치 나 같다고 느꼈었던 구름. 오랜만에 다시 보이는 것 같다.

구름은 사람들이 어떤 식으로 그 방향에 더 이상 존재하지 않더라도 구름이라고 부른다.

그것이 내가 생각한 구름의 의미였다.

하지만 이제는 너무나도 갑자기 다르게 보인다.

구름의 모양을 바뀐 구름을 사람들은 어떤 모양의 구름이라고 부른다.

그래 마치 나처럼 나는 그저 미쳐버린 '나'일 뿐이다.

그래 맞다.

이거 하나만큼은 맞았다.

저 구름은 나와 같다.

너무나도 잔인하게도 말이다.

이제야 알아차렸다.

아니 기존까지는 위태롭게 묶여있던 매듭이 하나를 건드리자 터져버린 것과 같다고 표현할 수 있겠다.

…….다른 나라고 생각했던 나는 결국 나였다.

구별할 것도 없는 망할 놈의 나 그래 사실 언제부턴가 조금씩 색다른 위화감을 느꼈지만 거부하고 있었던 것인가. 같은 기억으로부터 파생된 나는 어쩔 수 없이 필연적으로 내가 되어있었다.

무슨 이유에서 이었을까?

나는 아픔 몸을 이끌고 굳이 그 노숙자의 자리에 다시 찾아가 보았다.

하지만 거기 남아져 있던 것은 오로지 내가 그 노숙자의 깡통에 넣어주었던 지폐 한 장밖에 존재하지 않는다.

 왜 가져가지 않은 거지?
 아직 묻고 싶은 게 많은데

 어쩔 수 없이 다친 몸을 이끌고 급히 집으로 돌아왔다.
 에보는 이번에도 없었다.
 언제나 집에만 있던 녀석이 새벽까지도 집에 들어오지 않는다니 무슨 일이 생긴 것이 분명하다.
 급하게 상처를 물에 씻어내고 몸을 이끌려는 찰라 옆집의 고시생이 잠시 담뱃잎을 태우기 위해 나오는 문과 이마가 마주치고 말았다.
 탁 소리와 함께 나자빠지고 말았다.

 "아이고 죄송합니다. 이런 늦은 시간에 어딜 그렇게 급하게…….어, 괜찮으세요? 몸이 많이 상해보이시는데……."

 부축해주는 손을 잡으며 일어나며 말했다.

 "혹시 제 룸메이트 보셨나요? 아직까지 안 오고 있는데 걱정이 돼서…"

 "…네? 혼자 사시는 거 아니셨나요? 애당초 2명이서 여기 살기

172

에는 너무 비좁을뿐더러 그 방에서 나오는 사람은 본적이 없는 것
같은데요."

무슨 소리지 분명히 나는 에보와 함께...

깊은 고민 끝에 일단 집으로 들어왔다.
에보의 짐은 언제부터 있었지?
그의 짐이 있었던 적이 있었을까?

그때 생각난 것은 노숙자의 마지막
[나는 너일까]
에보는 누구일까
나는 누구일까

사실 이 모든 것에서 믿을 수 있는 게 무엇이 있을까
어디서부터가 진짜고 무엇까지가 진짜일까

...
나는 지금 살아있는 걸까
나는 어디로
쿠펜 으로써도 브라이트로써도 이제 남아있는 것은 없다.
나는 돌아올 모든 곳을 잃어버렸다.

아침 일찍 내 목적지는 오직 하나뿐

나와 '나'가 공존하였던 곳

그 병원으로 왔지만 이미 이곳에 갈 수 없는 나를 문이 굳게 거부하고 있다.

이제는 완전히 갈 곳은 잃어버린 난

에보 아니 쿠펜 왜 너는 내가 되고 싶어 했을까

에보 너는 왜 슬픈 눈으로 보되 나를 막지 않은 걸까

네가 나가 되고 싶어 했던 나는 이제 '나'로 살아가야 하거늘 어떻게 해야 하지

그래 드디어 알았다.

'나'는 나가 되고 싶어 했던 게 아니었다.

나는 결국 '너'가 되고 싶어 했던 게 맞는 것 같다.

최

지

희

시작

최지희

시작은 끝의 연장선이다.
끝은 시작의 맺음이다.
상황을 피하면 시작
상황을 받아들이면 끝

누가 감히 시작을 정할 수 있을까
누가 감히 끝을 정의할 수 있을까
어쩌면 같은 선상에 서 있는 것을

시작은 끝의 연장선이다.
끝은 시작의 맺음이다.
시작의 결말은 끝이고
끝의 미래는 시작이다.

창가자리

최지희

겨울날, 히터 때문에 텁텁한 교실 안
따뜻함이 섞여 있는 히터 고유의 냄새는
겨울날 특유의 분위기를 형성한다.

히터에 파묻힌 나는
창가에서 새어 나오는 서늘함을 쫓아
조금씩 조금씩
책상을 창가 쪽으로 더 가까이 이동시킨다.

창가에는 빗방울이 떨어지고
이미 물이 고인 운동장에는 물빛에 비친 나무가 아른거린다.

옅게 깔린 안개 속으로 들어가는 차들은 붉은 눈빛을 부라리지만
결국 안개에 잡아먹혀 제 빛을 잃고 만다.

나는 히터에 파묻혀 창가에서 새어 나오는 서늘함을 쫓아 창가로
왔다.
창가에 보이는 것들을 보며
이것을 잃기 싫다는 느낌을 받으며
선생님의 필사적인 목소리를 들으며

슬슬 눈을 감는다.

꿈

최지희

앞이 보이지 않았다.
보려고 해도 누군가 일부러 가린 것 마냥 볼 수 없었다.
그런 우리의 최대 과제는 앞을 보는 것이다.

"앞을 봐야만 한다."

습관처럼 듣는 말이다.
그러나 실천한 사람은 몇 안된다.

앞을 가려났다.
내가 가린 적 없다.
태어나고 자라다 보니 가려져 있었다.
그러나 앞을 보아야만 한다.

그것이 우리의 숙명이다.

향수(鄉愁)병

0.

눈을 뜨기 싫은 아침이 시작되면서 창밖으로는 따사로운 햇살이 간지럽히듯이 내려앉아 나의 잠을 깨웠다. 이제 막 2월이 끝나고 3월이 시작되는 이때쯤이야말로 최고의 아침 공기를 가진 날이라고 장담할 수 있었다. 부드러운 햇빛, 거기에 어울리는 꽃봉오리가 열리는 달콤함, 차갑지만 포근한 바람까지 더해져 봄이 오기 전까지 내 마음을 실컷 흔들어 놓는 향기가 곳곳에서 풍겨 나왔다. 아침에 일어나기는 싫지만, 일어날 때마다 맡을 수 있는 이 신선한 공기가 겨우 나의 몸을 일으켜 세웠다. 일어나자마자 철근을 단 듯한 발을 질질 끌며 겨우겨우 침대 바로 옆에 위치한 지하실 입구에 도착했다. 같은 방에 위치한 입구라고 하기에 미안할 정도로 햇빛의 온기와 대비되듯이 어둡고 축축한 지하실 특유의 오묘한 아우라가 냉기와 함께 뿜어져 나왔다.

철문으로 닫힌 입구를 서서히 열자, 철이 쓸리며 흡사 여자 비명 같은 소리를 질러 방안을 가득 채웠고 동시에 코를 찌르다 못해 마비시킬 정도로 강력한 향기가 내려가는 계단을 통해 서서히 다가왔다. 그러나 매일 아침 이 문을 맞이하는 사람으로서, 나는 인상을 찌푸릴 새도 없이 계단을 따라 내려갔다. 계단 끝에 닿아서 벽면을 더듬어 지하실 스위치를 켰다.

우우 윙우우우웅

나의 작업실이 곧 지하실이기에 스위치를 켜자마자 기계에 전류가 흘러가는 소리를 들을 수 있었다. 작업실은 대부분 천장까지 닿은 책장으로 이루어졌으며 그 책장 안에는 각종 향수병이 빼곡하게 진열되어 있었다. 그 각각의 향수병을 자세히 들여다보면 안에 들어가 있는 이물질도 각기 다를 뿐만 아니라 병 겉면에는 각기 다른 날짜의 라벨이 붙여져 있었다. 나는 그 중에 2017년 6월 18일이 적힌 병을 들어 맥박이 활발한 손목 부분에 뿌렸다. 손목 다음으로 맥박이 뛰는 목으로 갖다 대 온몸에 향수가 스며들어 오늘 하루만은 이 향기에 잠식되고자 했다. 향수가 서서히 스며들면서 은은하게 코를 통해 냄새를 맡을 수 있게 했다. 그날 우연히 들러 사 먹은 아이스크림에서 예상치 못한 이벤트 당첨으로 하나를 더 먹었던 초여름의 푸릇함과 소다 맛 아이스크림의 청량함을 냄새로 회상할 수 있었다. 그렇게 향수를 통한 어려울 때 하는 긍정적 생각의 행복회로로 하루를 시작했다.

회상했을 때 그때의 가볍게 기쁜 마음으로 작업실에 널브러져 있는 공병 하나를 챙겨 지하실에서 빠져나왔다. 내가 들고나온 이 공병에는 이제 오늘 자 좋은 일을 향수로 만들어 보관할 것이다.

1.

나는 향수를 만드는 조향사이다. 그러나 내가 만드는 향수는 나의 기억을 추출해 만드는, 방법이 절대로 과학적일 수 없는 그런 정상적이지 않은 무언가의 액체화이다. 그래서 조향사라는 말도 어쩌면 안 어울릴 수 있다. 사회가 의미하는 조향사는 화학 약품을 만지는 직업일 테니.

향수는 아마 나의 18살의 생일이 지나고부터 만들 수 있게 되었던 걸로 기억한다. 그저 어느 날 감싸 안은 공병이 아침에 일어나보니 향수가 되어있는 그런 마법 같은 일을 겪은 후 일기 대신 향수를 만들어 그것도 그날 중 가장 행복했던 기억만을 응축해서 액체화시켜 그날그날의 기억을 박제했다. 그렇게 만들어진 향수는 유리로 된 아름다운 향수병에 갇혀 보관된다. 내가 그날그날의 기억이 그립거나 세상과 멀어져 외롭다고 느낄 때 나의 향수는 그 고립으로부터 손을 내밀어주는 조력자가 되어줬으며 내가 살 수 있는 이유가 되어줬다. 그렇게 고등학생 때부터 지금까지 내 곁에 향수는 없으면 안 되는 존재로 자리하고 있다.

2.

향수를 뿌리고 싶지 않은 날도 있었다. 향수만으로 완전히 회복할 수 없는 상처가 있었기에 거기에 대한 회의감이 한 번에 몰려올 때, 그때 나는 서서히 나의 머리를 이불속으로 집어넣는다. 새하얀 이불에 몸을 맡길 때면 포근함과 더불어 내가 불안감에 쫓기고 있다는 것을 인지할 수 있는 두려움이 어깨에 내려앉았다. 이미 코가 향기로 마비된 상태. 나의 코는 더 이상 안정을 가져다 주지 못할 때도 있다. 아무 향기도 맡고 싶지 않았고 또한 어느 것이 무향(無香) 이었는지조차 까먹었기에 이불속에서 무향이라는 향수를 찾아 헤맨 적도 있을 정도로 불안할 때, 그런 날은 유난히 머리가 어지럽고 매스꺼웠다. 분명 향이 나는 것을 막기 위해 이불을 뒤집었지만 이미 이불 뿐만 아니라 나의 주변 모든 것 곳곳에 베어버린 여러 날의 향수들로 인해 향수의 흔적이 없는 곳 이라고는 찾아볼 수 없었다. 아무리 긍정적인 기억이 선명한 향수를 뿌리더라도 그 향기가 역겨운 날, 그날은 아마 10월 16일. 내게 가장 아름다운 날이었다.

2016년. 10월. 16일. 나의 기일.

평소와 다름없었던 날이었다. 아니, 오히려 운이 좋은 날이었을 수도 있다. 친구들과 아무 문제 없이 잘 지냈고, 복도에서 오백 원을 주웠다. 자판기에서는 돈을 넣지 않았지만 음료가 나와 있었고 당번이었던 나는 오늘따라 얌전한 우리 반 덕분에 수고가 없었다.

그러나 꼭 운이 좋으면 결말은 안 좋았던 것처럼 오늘의 나 또한 그랬다. 추석이 끝나고 본격적으로 가을이 시작되면서 찬바람이 불기 시작한 시기였다. 따뜻한 공기가 차갑게 바뀌고 푸릇했던 나무의 일부가 바람에 날려 숲을 잃었으며 거기에 스친 파릇한 냄새가 시들어가는 것이 우연히 느껴졌다. 생명이 지는 냄새가 이렇게 서늘하고 깨끗하다면 그날 지는 생명에게 단지 감사만 하리라고 생각했을 때였다.

그와 동시에 나의 꿈도 져버렸다. 알고는 있었다. 하고 싶은 것과 해야 하는 것이 일치할 수는 없단 사실이 통념이 되던 시대니까 당연했다. 그러나 잠시나마 희망을 품었었나 보다. 내가 가장 사랑하는, 사랑했던 것을 죽지 못해 하지 말라 한다. 사랑한다. 아니 사랑했다. 나의 존경, 진심, 영원을 담아 사랑했다. 그날 나의 꿈 또한 져버렸다. 속으로는 알고 있었다. 현재 집안 사정과 앞으로 입시 준비할 때 드는 돈을 생각하면 그만두는 것이 당연했다.

생명이 지는 냄새가 짙어졌다. 아까의 시원하고 깨끗한 냄새는 날아가고 회색빛의 톡 쏘는 듯한 역한 냄새가 올라왔다. 덕분에 빈속에서 위액이 올라와 입가를 쓰게 만들었다. 올라오려는 위액을 겨우 참아 삼켰다. 덕분에 주위를 신경 쓸 겨를도 없이 입안에는 가루약을 털어넣고 삼키지 못해 섞인 맛이 났다. 아무리 현실을 수긍하려 해도 그럴 수 없었다. 집으로 가는 길에 몇 번이나 도전한 과제이지만 그러질 못했다. 나는 희망 속에서 살고 싶었을 뿐이다. 현실에게 도망치고 싶었을 뿐이다. 역한 액체가 입 안에서 맴돌고 생명이 죽어가는 역한 냄새가 나를 괴롭혔다.

순간이었다. 나의 몸이 이끌리는 곳으로 그저 따랐을 뿐인데 눈은 하늘을 바라보았고 옆에는 흰색의 승용차가, 그리고 나는 따뜻한 붉은색의 베개를 베고 눈에 비친 하늘을 감상했다. 머리맡에서 나는 붉은 액체의 비린내가 안정적이었다. 아까까지 코에 아른거렸던 역한 냄새보다 훨씬 상큼했으며 찌릿한 무언가가 시퍼런 바람을 통해 과도화된 도파민을 진정시켰다. 내 곁에 사람들이 웅성거렸다. 사람들이 생각했던 것보다 큰 사고였지만 내게는 그게 상관없었다. 사람들의 웅성거림 속에서 약해져 가는 나의 숨소리가 머릿속에 울릴 때쯤 푸른 하늘로 가득 찬 내 눈은 검은색으로 덮여 갔고 입가에는 약간의 미소가 번졌다. 그렇게 나의 좌절감은 더 큰 고통으로 승화할 수 있었다. 그럴 수 있다고 믿었다.

3.

아침에 일어나 보니 벌써 오후였다. 흰색의 이불속에서 깨어나 천천히 몸을 일으켰다. 커다란 창에 쳐놓은 암막 커튼으로 인해 낮과 밤이 구분될 수 없었나 보다. 그런 창틀 사이로 비치는 햇빛과 그 햇빛이 가져다주는 살균하는 산뜻한 봄의 향기가 들어오면서 오후의 시간대가 되었음을 알렸다. 오늘도 어쩌다가 꾼 언젠가의 과거의 꿈으로 인해 머리가 멍하고 그게 무슨 내용이었는지 기억하지 못해 찜찜하면서도 개운한 그런 날의 연속이었다. 현재 대학교를 휴학한 지 벌써 2년째, 입학만 하면 된다는 부모의 말에 등 떠밀려 아직 1학년이지만 나이는 한참 먹은 상태이다. 상경을 한다는 이유로 얻은 자취방 하나와 그에 딸린 나의 향수 공방. 공방보다는 공장이라는 말이 더 어울리는 커다란 지하실에 나는 청춘을 기부하고 있다. 이전과는 비교가 안 될 정도로 폐인이 된 나의 모습은 간혹 가다가 마주친 거울을 보고도 놀랄 정도였다. 머리는 언제 감았는지 기억이 나지 않지만, 두피가 슬슬 가려운 거 보니 가볍게 사흘은 지난 것 같다. 사실 겉으로 보기에는 엄청 더럽다고 느껴지지 않지만, 밖으로 나가지 않아 색소 부족으로 허여멀겋게 된 피부 하며 입술에는 핏기 없는 색과 각질이, 몸에는 벌레가 기어다니는 듯한 소름 돋는 간지럼이 거울로 보면 더욱 선명하게 느껴져 어디서 기어들어 온 폐인 같은 느낌을 선명히 가져다줬다.

연속의 연장선인 오늘도 누추한 모습을 하고 오랜만에 기분 전환을 할 겸해서 외출을 결심했다. 요 며칠 사이에 제작된 향수에는 약간의 달콤함이 존재하지 않았기에 새로운 자극으로 도파민을 분비할 필요가 있었다. 그래봤자 집 앞을 나서는 것이기 때문에 외형은 그다지 가꾸지 않았고 몸에 밴 꾀죄죄한 냄새가 새어나지 않도록 2월 29일의 향수를 뿌렸다. 개학하기 전날의 향수. 여기저기서 꽃이 피려 하는 봉우리 속에서 외치는 꽃가루 냄새가 공기 중에 섞여 따뜻한, 그러나 아직 겨울이 가시지 않아서 아침에 이슬이 서늘하게 서린. 그 향수를 맡으면서 어느 정도 명상을 하고 나니 뒤숭숭했던 머릿속이 그나마 진정되었다.

'후'

밖으로 나가기 전에 큰 한숨을 내뱉었다. 밖에 나가는 것에 대한 두려움이 솟구쳤기에 향수로 진정한 본인의 모습이 흐트러질까 무서웠다. 그러나 오늘은 나가야 한다. 이렇게 아무것도 안 하다 보면 폐인을 넘어서서 고독사할 것이 분명했다. 한 달이면 충분했다. 가끔은 사람도 광합성이 필요한 것이 아닌가.

띠리리

현관의 도어락이 열렸다. 드디어, 한 달만의 외출이다.

현관문을 나서니 내가 사는 빌라에 갇힌 시원한 공기가 날 맞이했다. 하루 종일 그늘에 갇혀 공기 자체가 시원하면서 사람이 지나다녔기에 풍기는 사람의 살냄새. 그리고 어디선가 새어 나오는 말소리와 짭짤한 라면 냄새. 생기가 넘치는 곳이었다. 아마 이런 분위기가 살아있는 생명체 집단의 모습일 것이다. 그에 비해 내 집은 생기라고는 하나 없이 말라가는 꽃과 같았다. 향기는 진하지만 그 속에는 실은 없다고 느꼈다. 별 수 있을까. 집주인이 이 모양인데, 집 안에 생기가 돌 리가.

계단을 향해 한발, 한 발 내디뎠다. 복도 전체에 내 발소리가 울렸다. 근 한 달 만에 느껴보는 촉감이었다. 발끝에서 느껴지는 딱딱한 콘크리트 바닥이 낯설었다. 따뜻한 장판 위에만 있다가 세상을 나오니 신생아가 된 것처럼 모든 감각이 놀라웠다. 그 덕에 늘 새로워서 나쁘진 않았다. 그렇게 모든 감각에 집중하고 1층으로 내려와 빌라 전체를 나섰다. 딱히 목적지를 정하고 나온 것이 아니기에 발이 가는 대로 따랐다. 아무리 슬슬 봄이 찾아온다고 하더라도 2월 말인 지금이 그렇게 따뜻하지 않았기에 나오자마자 집안이 그리웠다. 밖의 냄새는 아까 내가 뿌리고 나온 향수와 비슷했다. 그러나 연도가 달라서인지 일치하지는 않았다. 좀 더 선명하고 기름 냄새가 섞인, 그리고 내 주위를 걸어가는 사람들 덕분에 첨가된 사람의 생기가 향기를 활기차게 했다.

천천히 걸으며 방안에 묵혀있던 향수와는 또 다른 냄새를 만끽하고 있을 때, 누군가 말을 걸었다.

"우와, 너 이…율 맞지?"

낯선 목소리가 내 이름을 입에 담으며 멈춰 세웠다. 어깨 쪽에 손이 닿은 감각이 느껴져 따라 시선을 옮기는 수려한 외향의 여학생이 서 있었다. 어깨까지 내려오는 갈색 웨이브 머리에 오트밀 색의 맨투맨, 청바지를 입은 모양새였다. 쌍꺼풀이 진해 한눈에 봤을 때 살짝 부담스러운 감이 있지만 호감이 가는 그런 아우라를 풍기고 있었다. 그런데 누구더라?

"너 창선 대학교 학생 맞지?"

아, 대학교 사람인가보다. 갓 학교에 입학했을 때 한 번 나간 오리엔테이션에서 만난 사람인 듯했다. 하지만 이렇게 수려한 외모를 잊었을 리가 없는데…?

"너무 반갑다! 얼마 만이니! 하도 안 보여서 죽은 줄 알았잖아."

그녀는 웃음이 섞인 목소리로 내게 친근하게 말을 걸었다. 진심인지 농담인지 구분이 안 될 정도로 숨을 쉬듯 자연스럽게 나와의 대화를 이끌어 가려 했다. 그러나 대화라고 하기 무색하게 나는 그녀의 말에 아무 대꾸도 하지 않았다. 일단 나의 모습 또한 누군가에게 보이기에는 최적화되지 못했기에 순간 몰려오는 부끄러움과 내 기억 속에는 없는 그녀가 문득 내게 말을 건 이유를 파악할 수 없었기에 경계를 풀 수는 없었다.

"아니, 다름이 아니라, 너한테서 좋은 향기가 나서. 그런데 익숙한 얼굴이길래 한번 물어보려고 말 걸었어!"

내가 곤란해하는 게 표정으로 드러났는지 그녀는 내게 아는 척을 한 이유를 친절히 설명해 줬다. 눈은 웃고 있으면서 입 모양과 목소리는 미안해하는 것이 티가 날 정도로 떨리는 게 보였다.

"미안, 순간 당황해서 말을 못했어. 오랜만이네."

그녀가 미안해하자 덩달아 나도 미안해져서 말을 붙였다.

"너 그때도 이 향수 썼었잖아. 맞지?"

내가 말을 하자 그녀는 내게 물어보고 싶은 것을 물어보기 시작했다.

"어디서 산 향수야?"

"무슨 향이 베이스인 거야?"

"어느 브랜드꺼야?"

"너가 만든거야?"

이어지는 질문세례에 정신을 못차리고 있을 때 였다.

"혹시 지금 시간되면 나랑 잠깐 얘기 나눌 수 있어?"

그녀가 길거리에 붙잡아 놓고 질문을 뿌리는 게 어정쩡했는지 향수와 관련해서 나와 이야기를 나누고 싶다며 카페에 가자고 했다. 뭐, 어차피 할 일은 없었고 가는 곳도 카페이니까 인신매매 같은 범죄는 아닐 거고, 무엇보다 그녀를 따라가는 것에 대해 설득이 된 부분은 그녀를 맴도는 그 아우라에 홀린 것이 분명했다.

우린 카페에 앉아서 향수에 대해 이야기 했다. 그녀는 본인을 창선대학교 미대생이라 소개했고 향수를 형상화하여 그림 그리는 것을 선호하기에 독특한 향기를 풍기는 내 냄새의 정체를 몇 년 전 오리엔테이션 날부터 알고 싶어 했다고 했다. 향수를 뿌리고 사람들 앞에 나선 일도 거의 없었고, 사람들은 남에 대해 신경을 안 쓴다고 생각해서 내가 뿌린 향수에 이렇게까지 관심 가질 거라 예상을 못했기에 이와 같은 상황이 당황스러웠다. 그렇지만 심장이 두근거렸다. 몇 년 만에 낯선 이와 만나 낯선 카페에서 낯간지러운 주제로 대화를 나누고 있다는 사실 자체가 설렜다. 그리고 심지어 그 주제가 향수라서, 그러니까 나 그 자체인 것에 대해 이야기 하니까 이렇게까지 심장이 뛸 수 있다는 것을 체감할 수 있었다. 그 덕에 아직 심장이 기능하는, 살아있는 생명이라는 것을 깨달았다.

그녀와 이야기 하면서 증발한 생기가 서서히 돌아오는 듯했다.

그러나 그것도 잠시, 그녀가 내게 물어볼 것을 다 물어보고 또, 시간이 꽤 오래 지나 헤어져야 했다. 오랜만에 느껴본 설렘과 그 아쉬움이 교차하면서 향수로 쌓은 유대감이 끈질기게 따라붙었다. 시간이 얼마나 흘렀는지, 아직 겨울이라 해가 빨리 지는 건지, 어두워 지고 있었다. 어두운 하늘에 비치는 위성이 항성같이 보이는 마법을 느끼고 나는 다시 밀폐된 공간으로 돌아왔다. 나의 밀폐공간에는 나와 향수들 뿐이었다. 수많은 향수들 중에 오늘의 향수는 분명 가장 생기 넘칠 것이다.

4.

어제의 이야기가 꿈같았다. 오늘 아침에 내 품에 안긴 향수를 보며 그 양이 적어 아쉬웠다.

공허함.

아마 그 감정이다. 나의 일부분을 빼앗긴 것 같다. 분명 어제 하루밖에 안 지난 사이인데도 불구하고 내게는 큰 자리를 차지했던 것이다.

'사실 그 그녀와 친한 사이였던 게 아닐까?'

나와 그녀 사이를 어느 정도 의심했다. 어제 그렇게 만난 사이인데 내가 이렇게까지 사무치게 설레고 아쉬워할 이유랄게 무엇이 있을지 아무리 생각해도 없었다. 나는 어제 그녀가 준 연락처를 보며 침대에 다시 몸을 누웠다. 연락처로 천장에 걸린 형광등을 가리며 팔이 아플 때까지 한참을 바라봤다. 연락처를 보다 보니 어제의 내가 보고 싶어서 오늘 아침 막 나온 향수를 공기 중에 마구 뿌렸다. 은은한 커피 냄새와 그녀의 부드러운 살냄새, 머리카락에 묻어난 달콤한 샴푸 냄새, 그리고 눈동자가 보일 듯 말 듯 하게 웃는 눈과 살짝 올라간 입꼬리, 어깨에 닿는 웨이브가 된 머리가 아른거렸다. 나는 그 모든 냄새를 한 번에 들이마시고 눈을 감았다. 어두운 천막에서 그녀가 튀어나와 내 머릿속을 복잡하게 만들었다. 감은 눈을 천천히 뜨며 손으로는 휴대전화를 찾으러 흰 이불속을 더듬었다. 그때 휴대전화가 울렸다.

띠리링 띠리링

전화벨 소리이다. 근래 들은 적 없던 나의 휴대전화 벨 소리에 내가 소름이 돋아서 보이지 않는 휴대전화를 찾아 헤맸다. 희고 푹신한 이불속을 뒤지면서 겨우 찾은 휴대전화는 저장되어 있지 않은 번호로 인해 울리고 있었다.

"여보세요?"

나는 조심스럽게 그 전화를 받았다.

"아! 드디어 받았다. 혹시 자고있었어?"

그녀의 목소리다.

"아니야, 방금 일어났었어. 무슨일이야?"

"너가 너의 향수 공방 보여준다고 했잖아. 오늘 괜찮아?"

아, 그때 그런 이야기도 했었나보다.

"당연히 시간되지!"

"그럼 지금 갈게!"

"그래!"

　너무 갑작스럽게 정해진 그녀의 방문에 다급하게 환기를 시키려
고 창문을 열었다. 창문 사이로 기름때가 진 차가운 공기가 방안으
로 스며들었다. 이 기름진 냄새가 방을 환기할 정도라면 내 방 안
에는 얼마나 많은 향수가 얽혀 고여있었던 것인가. 나름 어제와는
다른 모습을 보이기 위해 샤워도 했다. 몸에 배어있던 향수의 일부
가 씻겨 내려갔다. 피부에 스며든 향수가 빠져나가서인지 몸이 한
결 가벼워졌다고 느꼈다. 그 순간 이상한 생각이 들었다.

　'내가 그동안 몸이 무겁고 힘들었던 게 향수 때문이었던 거야?'

　향수가 씻겨 내려가고 향수가 바람에 날려 기름때로 물들고, 그
와 동시에 몸이 가벼워지자, 머리가 맑아지는 게. 향수가 잘 못 됐
다는 거야?

　아니야, 향수 덕분에 나는 매 순간 행복할 수 있었어. 향수 덕분
에 이 정도를 버틴 거야. 그런 거잖아.

　나는 순간 든 소름 돋는 생각에 환기를 위해서 열어놨던 창문을

194

다급히 닫았다.

아니야, 아니야. 향수는 아니야.

향수의 향이 절반 이상 날아간 내 방에 다시 그 냄새를 채워넣기 위에서 지하실로 내려갔다. 다행히도 지하실에는 아직도 다양한 향수가 섞인 냄새가 찌들어 있었다. 내 실수 아닌 실수로 날아가 버린 지하실 위의 향수가 나를 지하실에서 빠져나오지 못하게 만들었다. 그렇다. 나는 그냥 익숙하게 향수에 찌든 방에 아무것도 하지 말고 찌들어 있어야 했다. 창문을 열지 말았어야 했다. 환기를 시키지 말았어야 했다. 그녀를 우리 집으로 초대하지 말았어야 했다. 그녀를 만나서는 안 되었다. 그날 나는 밖으로 나가서는 안 됐었다. 괜히 새로운 것을 하려 하니 그 과정에서 나를 겁먹게 하고 결국 나의 둥지를 빼앗겼다. 그나마 지하실은 아직 수십, 수백 가지의 향수가 섞여서 머리가 어지러울 정도의 독한 향이 배여있어서 다행이지 그마저 아니었다면 나는 분명 미쳐 쓰러졌을 것이다. 새로운 냄새로 뒤덮인 나의 방. 나의 침실. 나의 안식처. 익숙한 향수가 아닌 밖에서 새로 들여온 기름이 든 흔한 도시의 아스팔트 냄새, 나무에서 나는 피톤치드 냄새, 시원하다 못해 겨울의 냄새조차 청량하게 만드는 바람까지. 마냥 포근하고 따뜻했던 기존의 향수와 대비 되어서 쉽게 적응할 수 없었다.

오히려 무서웠다. 근 몇 년간 오래 노출되지 않았던 냄새들로 둘러싸인 나의 장소가 존재한다는 것 자체가 공포였다. 안식처가 맹

수의 소굴이 되어있으니 어쩌면 당연하였다. 나는 지하실에 바깥의 냄새가 들어오지 못하도록 문을 굳게 닫았다. 지하실에 널브러져 있던 각종 수건과 휴지로 문 틈새를 막았으며 조향할 때 쓰던 탁자와 의자도 문 쪽으로 갖다 대어 누군가 문을 열지 못하도록 막아놨다. 그렇게 한 후에야 심적으로 서서히 안정되기 시작했다. 한 순식간에 벌어진, 내 손으로 벌려 벌인 일로 인해 나는 방금 생명에 위협을 느낄 정도였기에 안정이 되는 그 경계선에서 머리가 지끈거렸다.

비록 지하실의 눅눅한 냄새가 섞인 향수의 향이지만 전혀 변해버린 바깥의 공기보다는 살아갈 만했다. 의자에 걸어놨던 담요를 몸에 두르고 공방의 한구석에 자리 잡아 몸을 할 수 있는 만큼 웅크렸다. 누구 하나 의지할 수 없는 이곳에서 내가 기댈 수 있는 것은 나의 향수가 진열되어있는, 가늠이 안가는 높이의 책장이었다. 나는 그 책장들을 보며 지끈거렸던 머리도, 평소와는 다르게 뛰던 심장도 서서히 제 박자를 찾아가며 눈을 감겼다.

쾅 쾅 쾅 쾅

엄청난 광음에 나는 눈을 떴다.

지하실 위 쪽에 있는 창살 사이로 햇살이 비쳐 그곳만 유난히 반짝이고 있었다.

쾅

소리로 인해 강제로 눈을 떠 혼미할 때, 정신을 차릴 새도 없이 어제 막아놨던 문이 무너져 내렸다. 탁자와 의자는 계단을 따라 힘 없이 무너졌고 끼워놨던 수건들과 휴지는 바닥에 끌려 제 역할을 잃어버렸다.

문이 서서히 열리면서 내 방의 빛과 함께 그림자로 비치는 모습은, 그녀였다.

그녀는 난장판이 된 계단을 아무렇지 않다는 듯한 표정으로 천천히 내려왔다. 그 모습을 지켜보면서 문이 열렸다는 무서움과 내게 다가오고 있는 그녀의 존재가 이중적으로 느껴지는 오묘한 스산함이 나를 더 구석으로 몰고갔지만 더 이상 갈 곳이 없는 상황에서 나는 그녀를 직면할 수 밖에 없었다. 그녀는 사람에 흔들리는 가지처럼 떨고있는 내게 살포시 다가와 살며시 안아주면서 토닥였다. 신기했다. 나와 그녀는 분명 그저께 처음 대화를 나눴다. 그러나 그녀는 나를 찾아 지하실 문을 열었다. 그리고 나를 안아줬다. 그 모든 것이 내게 위로가 되어 돌아왔다. 나를 토닥이는 그녀의 품에서는 아주 어릴 때 맡을 법한 분유와 파우더 냄새가 났으며 그와 더불어 카페에서 날 법한 커피 냄새와 아스팔트의 기름 냄새, 길가에 핀 꽃들의 달콤하고 따뜻한, 형상화될 수 없는 향들이 섞여서 났다. 나의 방을 가득 채운 역겨운 냄새들과 유사하지만 절대로 다른 그녀의 향수였다. 말없이 나의 지하실을 열어 토닥이는 그녀를 천천히 느끼며 눈에 눈물이 고였다. 어디서 볼 수 없는 위로와 감동이

상당한 향수가 되어 내게 다가왔다.

5.

"이제는 필요 없잖아."

그녀의 목소리가 귓가에 울리며 눈을 떴다. 눈을 뜨니 보이는 것은 익숙한 천장의 익숙한 형광등이었다. 손을 더듬으며 휴대전화를 찾으며 느껴지는 것은 평소와 다름없는 이불과 베개의 촉감이었다.

'설마 꿈인가?'

꿈이라고 하기에는 너무 생생한 그녀의 냄새가 코에서 맴돌고 있었다. 또한 그녀가 내게 준 위로로 인해 심각할 정도로 빠르게 뛰는 내 심장은 손으로 갖다 대지 않아도 위치를 알 수 있을 정도로 나의 기억 속 일이 사실임을 증명했다. 혹시나 그녀가 근처에 있을까 싶어서 얼마 안 되는 집 안을 휘저었다. 분명 집에는 그녀의 냄새가 배여 있고 스며들어있다. 그 말은 즉, 그녀가 상당 시간을 우리 집에서 시간을 보냈다는 것이다. 아까 찾을 때는 안 보였던 휴대전화가 침대와 이불 사이에서 발견되었다. 그녀에게 연락이 온 것이 없는지 확인하기 위해서 킨 화면의 날짜는 내가 기억하는 날짜에서 이틀이나 지나 있었다.

'그럼 내가 그녀가 다녀간 이후로 이틀이나 더 잠들어 있었다는 것인가?'

모든 것이 의문투성이인 상태에서 나는 지하실에서 나는 평소보다 짙은 향수들의 향이 나는 것을 눈치챘다. 순간 불안한 느낌이 엄습했다. 향수들의 냄새는 얼마나 많은 것들이 섞였는지 모를 정도로 독한 냄새가 났다. 독하다기보다는 역하다는 것이 어울릴 정도로 헛구역질이 나왔다.

욱

올라오는 속을 손으로 겨우 막고 휘청거리는 몸을 벽에 의지한 채 천천히 지하실로 내려갔다. 지하실 입구에서부터 났던 악취는 계단을 내려갈 때마다 점점 더 심해졌고 그로 인해 두통이 점점 심해졌다. 머리에 못을 박는 것처럼 무언가가 심하게 찔러댔고 그것들에 신경 쓰느라 곤두선 온몸의 감각이 무뎌져 공중에 떠 있는 것 같은 느낌이 들었다. 겨우겨우 그 몸을 이끌고 시야가 흐려질 때쯤이었다.

앗

계단 끝에 버려진 날카로운 유리 조각이 맨발에 상처를 냈다. 발

바닥에 난 작은 상처에서 슬며시 핏방울이 맺히면서 형태를 보였다. 상처의 형태가 또렷해지고 붉은 액체가 고여 떨어지면서 어지럽던 정신이 그나마 상황을 파악할 수 있도록 집중할 능력을 갖추었다. 피가 떨어지는 발을 뒤로하고 시선을 천천히 올려다본 책장에는 멀쩡한 향수가 하나도 없었다. 심각한 상황이다. 내 향수병이 모조리 깨져있었다. 나는 사색이 파래진 얼굴로 다친 발은 신경도 안 쓰고 유리 조각이 펼쳐진 지하실 바닥을 뛰어 들어갔다.

"없어. 없어. 없어."

아무리 책장 하나하나를 탐색해도 멀쩡하게 남아있는 향수병이 하나도 없었다. 그제야 바닥에 널브러져 있던 유리 조각을 자세히 살피니 향수병의 파편이었던 것을 발견할 수 있었다. 향수병이 모조리 깨진 것을 인지하니 역한 향수의 혼합체 냄새가 서서히 증발하고 있음이 느껴졌다. 향수의 냄새가 옅어진다. 옅어지다 못해 사라지고 있다. 이 향수들은 영원히 다시 만나지 못할 향들이다. 그 사실을 알고 있지만 나는 잡을 수 없다. 이미 엎질러진 향수이고 증발한 액체는 주워 담을 수 없다는 사실을 누구보다도 잘 알고 있기 때문이다.

'그녀는 왜 이렇게 되었는지 알 거야.'

나의 마지막 기억인 그녀와 이 상황이 어떻게든 들어맞을 것이라고 직감이 확신했다. 그녀에게 전화가 왔던 번호로 다시 전화하기 위해 붉은 액체가 범벅인 발을 무시한 채 휴대전화로 달려갔다.

'여기에 그녀의 번호가….'

전화 기록에 적힌 번호로 전화를 걸었다.

"이 번호는 없는 번호입니다."

하지만 돌아온 것은 그녀의 존재에 대한 부정이었다. 그 부정을 부정하고자 몇 번이나 전화했지만 결말은 같았다.

'그녀는 내 지하실을 어떻게 알았지?'

'그녀는 내 집 주소를 어떻게 알았지?'

'그녀는 내 이름을 어떻게 알았지?'

'그녀의 이름은 뭐였더라?'

'그녀는 누구였더라?'

그녀에 대한 모든 것이 의문으로 변했다. 나를 찾아 지하실 문을 연 것부터 수상해야 했다. 어떻게 내 지하실을 알았으며 아무 의심 없이 내 집 문을 땄으며 이름이 뭐였는지 말해주지도 않았음에 대한 의문이 한 가득하였다. 어쩌면 처음부터 이상했다. 몇 분 있지도 않았던 오리엔테이션에서 잠깐 스쳤다는 이유로 나를 알았을 리가 없다. 통성명한 적도 없는데 말이다.

6.

그녀의 정체는 무엇이었던 걸까. 더 이상 그녀의 흔적을 쫓을 수 없었던 나는 그녀를 그냥 환상의 일부로 남겨두기로 했다. 나는 그녀의 존재로 인해 나는 향수에서 벗어날 수 있었고 그녀의 존재 덕분에 나 스스로를 죽였던 그날의 기억으로부터 벗어날 수 있었다. 그리고 나는 나를 죽이지 않고 살아 갈 수 있는 방법을 그녀 덕분에, 아니 내 안에 내포되어 있던 약간의 의지 덕분에 터득했다.

더 이상 향수는 만들 수 없게 되었다. 향수병이 모두 깨진 그날 이후 내 코에는 더 이상 향수의 향기들은 아른거리지 않게 되었고 후유증이 잠깐 있었다는 사실을 제외하고는 상당히 빠르게 현실을 살아 갈 수 있게 되었다. 물론 죽었던 나를 살리진 못했지만 그 흔적을 쫓아 새로운 나를 창조하려고 노력하는 중이다.

아마 내가 향수로 인해 겪은 이 모든 일들을 이해하기 힘들 것이다. 어쩌면 나도 이 시간이 무뎌질 때쯤이면 향수에 갇혀 살았다는 사실조차 잊어버릴 수 있다. 그러나 나의 이 경험은 나의 각성제 역할을 했고 나의 삶을 숨 쉬게 해주었다. 그 사실 하나만으로 나는 나의 세계에만 국한되어있지 않고 나아갈 것이다. 좌절감이 희망으로 승화되는 기이한 현상을 내 손으로 직접 일궈낼 것이다. 이것이 이제 나의 마지막 향수가 될 것이다.

아주 가끔 지금도 살아가다 보면 문득 나의 위기에서 느꼈던 그녀의 향수가 맡아진다. 그때가 되면 아마 나는 힘든 날을 보낸 순간의 연속이였음을 확신한다. 그럴 때 마다 스치는 그녀와의 연한 기억과 그 짧은 시간 속 스쳐지나간 향수는 뇌리에 박혀 끊이지 않을 인연이 되어 나의 순간이 되었다.

기
행
문

2023. 11. 11. 토 : 두번째 비정기 모임

수원 시립 아트스페이스 광교

2023 아워세트: 레벨나인 X 손동현

수원시립아트스페이스광교 전시회 후기 : 신과 변화

김 민

2023년 11월 11일, 수원시립아트스페이스광교에서 레벨나인과 손동현 작가의 <2023 아워세트> 전시회를 다녀왔다. 다양한 미디어를 이용한 시청각적 체험과 서양적인 요소로 만들어진 동양화가 인상적인 전시회는 미디어와 회화를 각각 시간과 공간의 변화로 형상화 시켰다. 종이와 나무로 제작되던 예술 작품은 최첨단 전자기기로 시간을 넘어, 팝아트와 만화로 대표되던 서양의 콘텐츠들은 동양의 회화로 공간을 넘어 재창조되었다.

'시간과 공간이 지남에 따라 기존의 콘텐츠는 재창조 되었다.' 이것이 전시회의 중요한 키워드라고 생각했다. 그리고 이 전시회를 만드는 레벨나인과 손동현 작가는 관람객에게 무엇을 말하고 싶은 건지 생각해 보니 신이란 존재가 떠올랐다.

미디어에서 신이란

레벨나인은 미디어를 통해 여러 가지 체험을 시켰다. 직접 캐릭터도 설계하고 프리즘으로 배경을 만들며 게임 속 플레이어를 조종해 박물관의 역사를 알아보게 했다. VR 게임과 AR 게임을 적극 활용하여 작은 세계의 인물이 되어보고 그 세계 위의 군림하여 지켜볼 수 있었다. 여기서 난 내가 신이 된 기분이 들었다. 하나의 생물과 세상을 만드는 창조주이자 세상을 조종하고 인간을 괴롭힐 힘을 지닌, 심지어 본인마저 인간이 될 수 있던 신이 되었다.

회화에서 신이란

손동현 작가는 배트맨, 마이클 잭슨, 닌자 거북이, 스타워즈와 같은 서양의 인기 콘텐츠를 자신만의 방식으로 재구성했다. 비단 서양화뿐만 아니라 드래곤볼이나 용, 무공을 휘두르는 협객 같은 다른 공간 속 사람들을 그렸다. '라이트 하우스'라는 전시물이 눈에 띄었다. '라이트 하우스'는 흰색과 검은색으로 이루어진 세상 속 등대는 흰 불빛으로 검은 바다를 비추며 우리에게 궁금증을 묻고 그것에 대해 AI가 대답을 해주는 전시물이었다. 내 질문은 '손동현 작가에게 마이클 잭슨은 어떤 의미인가요?' '가위바위보에서 무엇을 내야 유리하나요?', '손동현 작가에게 등대는 어떤 의미인가요?' 이었는데 이중 마지막 질문이 중요했다. 그에게 등대는 상징적인 존재이자 위협에서 지켜주는 역할이었다. 즉 등대는 칠흑 같은 어둠 속 한 줄기의 빛이 되어주는, 모르는 문제를 물으면 신의 대리인(AI)가 대답해 주는 신탁의 장소였다. 이를 통해 자신의 작품 속 손동현 작가는 신으로 느껴지게 만들고 그에게 의지하는 우리는 신자로 느껴졌다.

미디어와 회화, 시간과 공간, 신과 신자, 종의 기원
매체가 달라지고 시공간이 바뀌고 존재가 변화하는 과정에서 세상의 의미를 부여하고 다시 찾아가는 과정이 <종의 기원> 속 한 문장 같아 이 문장으로 후기를 마치려 한다. 여러분도 변화하는 삶의 과정 속 의미를 찾길 바란다.

참으로 흥미롭다. 그토록 단순한 시작에서부터 가장 아름답고 경이로우며 한계가 없는 형태로 전개되어 왔고 지금도 전개되고 있다는 생명에 대한 이러한 시각에는 애잔함이나 그리움 그 이상의 어떤 장엄함이 깃들어있다. - 찰스 다윈

수원시립 아트스페이스 광교 −2023:아워세트: 레벨나인X손동현

최지희

　무료로 문화생활을 할 수 있는 행위를 찾다가 주변에 전시회가 한다는 소식을 듣고 글모이 두 번째 비정기 모임 장소를 수원시립 아트스페이스 광교로 정했다. 솔직히 무료 관람이었기 때문에 큰 기대는 없었다. 그러나 손동현 작가님의 작품은 내가 돈을 안 주고 이 정도의 퀄리티를 관람해도 되나 싶을 정도로 경이로웠다. 우선 감상하기 전에 아무 정보도 없었기에 손동현 작가님에 대해 전혀 알지 못했다. 그리고 이번 전시회가 동양화가 주제라는 것 조차도 몰랐다. 그랬기에 오히려 당황스러움과 더불어 벅찬 감정을 느낄 수 있었다. 이번 학기에 들어서 동양화를 배우고 있는 입장에서 손동현 작가님이 쓰신 종이, 물감, 소재를 흥미롭게 볼 수 있었다. 특히 분채 사용에 대해서 감탄할 수밖에 없었는데, 분채를 사용하면서 그 재료에 대한 의문 투성이었지만 이번 전시회를 통해서 분채의 매력을 확연히 느낄 수 있었다. 분채는 가루로 만든 물감이다 보니 쓸 때마다 섞어 쓰는 게 귀찮고 마르면 생각했던 색이 나오지 않아서 쓰면서 불만만 계속 쌓여갔던 경험이 있다. 하지만 작품을 보고 나서 분채의 가루 때문에 입체적인 느낌이 나서 생동감 있는 작품이 나오는 것을 확인할 수 있었고 교수님께서 분채는 의도하지 않는 부분에서 매력이 분출된다고 한 이유를 알게 되었다. 덕분에 이번 작품을 만들 때는 의도하지 않은 가루의 면모를 확실히 부각

시켜서 장점이 되도록 하고싶어졌다. 아직 채색은 시작도 안 했지만 그렇기때문에 전시회를 통해 얻은 자신감과 피드백으로 작품을 꾸며나갈 수 있게되어서 의미있는 시간이었다

수원 시립 아트스페이스 후기.

김강오

손동현. 내가 보았던 그의 작품들은 하나같이 어딘가 만화같다는 느낌을 받을 수 있었다. 전시회장에 처음 들어선 순간 내 눈에 들어왔던 것은 토이스토리 속의 캐릭터를 동양화 같은 모습으로 재해석한 작품이었으며, 그 뒤에는 배트맨, 닌자거북이의 모습이 그려진 작품들이었기 때문이었다. 그뿐만 아니라 그의 작품들은 하나같이 만화, 혹은 유명인사들의 모습을 재해석하고 동양적인 모습으로 재탄생 시킨 작품들이었다. 그렇기에 나는 그의 작품들에서 동양적이면서도 현대적인 느낌이 물씬 풍기는 만화 속 한 장면을 보고 있는 것 같다는 생각을 하게되었다. 그리고 어쩌면 그가 만화를 사랑하고 있는 것은 아닐까 생각할 수 있었다. 그의 작품들 중 대부분은 마치 만화 속의 캐릭터 같이 느껴졌으며, 정경을 표현한 수묵화에서도 그림에 찍혀있던 도장은 만화 속 캐릭터의 로고를 빼닮아 있었기 때문이었다. 나는 기법에 대해 잘 알지 못한다. 그가 어떤 기법으로, 어떤 특이한 방식으로 그림을 그리고 작품 속에 의미를 담았는지 모른다. 나는 미숙하여 그의 작품 속에 담긴 의도를 파악하지도, 작품 속에 담긴 생각조차 읽을 수 없었다. 다만 그런 나의 시각에서 그의 작품들은 하나같이 만화를 사랑하는 듯한 작가의 모습을 담고 있는 듯 하였다. 때문에 나는 이 전시회를 보고 이렇게 감상평을 말하고싶다. '만화를 사랑하는 작가의 마음을 담은 전시회.'

수원아트스페이스광교 전시회

이수민

현대 미술에 대한 대중의 판가름은 저마다 다르다. 누군가는 단순한 모형과 형태를 보면서도 그곳에 담겨있는 형이상학적 가치에 대한 찬사를 보내기도 하지만 또 다른 누군가는 이를 보고 자기들끼리 주고 받는 짜고치는 판이라며 거센 비판을 보내기도 한다. 저마다의 개인의 생각으로써 모두의 의견은 존중받아야 마땅하다. 그리고 이번 전시회에서는 미술의 영역이 어디까지 넓어질 수 있는지에 대한 물음 같았다.

레벨나인

물질적인 부문보다는 참여 예술로써 관람가들이 직접 동작함에 따라 변화하는 작품들을 다루었다. 우리에게 직접적인 물음을 던지기도 하고 자산의 상상을 화면 속에서 실체화함은 물론 VR과 증강현실을 통한 서로 간의 상호작용을 선보이는 작품을 선보였다. 이에 따라 기존의 오프라인 미술의 예술이 존재할 수 있다면 반대로 온라인 속의 예술의 세계는 이러한 형식으로 전개되지 않을까하는 방식이었다. 특히나 기존의 오프라인 참여 예술의 한계점을 넘은 더욱 광범위한 전개가 가능할 것 같다는 생각이 들었다. 특히나 '엉뚱한 상상조각'이라는 작품이 이러한 점을 가장 잘 표현하는데 단순하지만 사람에 따라 매우 다채롭게 표현할 수 있는 영역의 작품

212

으로 내가 만든 조각들이 다른 사람들의 조각들과 함께 각각의 소리에 맞추어 불규칙적인 움직임을 보인다. 이러한 작품이 단순히 온라인을 통한 가상의 공간에서 펼쳐지는 단순한 움직임이 아닌 우리가 오프라인 세상에서 조작함으로써 영향을 끼쳐 결국 다시 우리의 오프라인 세계를 시각적으로 표현한다는 점에서 그 의의를 느낄 수가 있었다.

손동현

현대 시대에서는 이미 멀어져버린 동양풍의 그림체로 오히려 현대의 캐릭터, 물체, 인물들을 재해석하는 형태의 작품들을 다룬다. 앞선 레벨나인이 현대 미술과 미래의 나타날 예술에 대한 상호작용을 말하고 있다면 손동현은 과거와 현대의 상호작용이 느껴졌다. 특히나 이를 한 행위에서 구분되지 않고 다양한 시도를 했다는 점에서 그 가치가 더욱 높아 보이는데 단적인 예로 '배트맨'이라는 작품은 이름부터 알 수 있듯이 유명 캐릭터인 배트맨을 동양풍의 그림으로 재해석한 그림이라고 말할 수 있지만 '잉크 온 더 페이퍼' 라는 작품은 동양풍의 그림을 따라 길게 이어붙인 형식으로 각각의 주제의식을 담는 형식으로써 그림의 표현에 대한 변화를 동양풍으로 표현하는 흥미로운 전개 방식을 지니고 있다. 이러한 동양풍의 재해석은 기존에 지니고 있던 동양풍에 대한 편견을 깨는 것으로 예술적 측면에서 더욱 다양한 시도가 가능하다라는 것을 의미하는 것처럼 느껴진다.

종합적으로 이번 전시회를 통한 나의 개인적인 생각은 간단히 말해 조화라는 점에 초점을 두고 보았다. 너무나도 거리가 멀게 느껴지는 둘이 기존의 관계를 타파함으로써 다양한 형태의 예술을 발휘한다는 점에서 전혀 다른 곳에서 새로운 답이 있다라는 것을 말해주는 것 같이 느껴졌다.

부

록

2023. 11. 22. 수 : 세번째 비정기 모임

오늘밤, 세계에서 이 사랑이 사라진다 해도

저자: 이치조 미사키
권영주 옮김
활용: 최지희
키워드 문장: "이 마음만 있으면 히노가 나를 좋아해주지 않아도 된다."

-응용작:

너는 나를 언제나 봐주지 않는다. 너는 언제나 나의 앞에서 당당히 걸어갔다. 어딘가 모난 곳도 없이 나의 도전정신을 실험했다. 그렇다고 해서 나를 떠난 적은 한 번도 없다. 그렇게 언제나 너는 내 앞에 있었다. 옆에 있지 않아도 된다. 네가 나를 안 봐도 된다. *이 마음만 있으면 네가 나를 좋아해 주지 않아도 된다.* 내가 너를 바라보는 것만으로도 충분하다. 그렇게 하루가 시작되고 끝을 맺는다. 이때까지 그랬던 것처럼, 혹은 앞으로 그럴 것처럼.

돌연한 출발

저자: 프란츠 카프카
전영애 옮김
활용: 이수민
키워드 문장: "내가 너무도 감시를 소홀히 하고, 너무도 그대로 방치해 둔 작은 동물이 내가 없는 사이에 어딘가에다 새 길을 뚫었는데, 이제 그 길이 오래된 길 하나와 만나 막혔던 공기를 흐르게 함으로써 생겨난 사각사각 소리였다."

—응용작:

어느 때부터 벽을 긁어대는 사각사각 소리가 난다. 하지만 나는 이 소리가 어디에서 나는지 모른다. 문밖에 쓰레기통을 뒤지고 다니는 작은 개일 수도 답답한 현실에 갇혀 나가고 싶다는 의지가 담긴 나의 자의식이 만들어내는 소리일 수도 있다. 하지만 둘 다 어떤 것이든 생존을 갈망하는 소리라는 점은 틀림이 없다. 아마 우리 모두 다 방치된 채 버려진 것에서부터 내보내는 작은 저항의 소리다. 세상을 향한 외침이었고 나를 향한 비명이었을 수도 있다. 이를 이런 식으로 해석하고자 하는 나의 덧없는 추측에 현실을 깨닫고 벽에 기대어 이내 자세를 무너트린다. 그때 구석에서부터 사각사각 소리가 들리는 것을 발견하였다. 몸을 기대보자 자그마한 생물체가 몸을 웅크린 채 보인다.

내가 너무도 감시를 소홀히 하고, 너무도 그대로 버려둔 작은 동

물이 내가 없는 사이에 어딘가에다 새로운 길을 뚫었는데, 이제 그 길이 오래된 길 하나와 만나 막혔던 공기를 흐르게 함으로써 생겨난 사각사각 소리였다.

그 소리는 내가 생각하는 세상에 대한 외침도 저항의 의지도 아닌 다름 아닌 나의 무책임에서부터 시작된 작지만 큰 소리였다. 나는 문득 그 소리를 내기 위해 비참할 정도로 수척해진 그 생물에게 얼마 남지 않은 먹이와 물을 주고는 그 작은 세상에서 꺼내주었다.

훨씬 넓어진 방으로 나왔지만 이내 문틈 사이로 빠르게 몸을 들이밀고 이내 보이지 않게 되었다. 그제야 나는 나에 대한 부끄러움을 느낀다.

나는 죽었다고 말하는 남자

저자: 아난타스와미
변지영 옮김
활용: 김강오
키워드 문장: "하루하루 살아오면서 축적한 모든 기억과 가치관,
이 세상과 가족, 사회에 대한 것들의 연결고리가 삭제되어진다."

-응용작:

　기나긴 겨울의 끝을 알리던 봄의 시작이자, 겨울이 제 마지막
기력을 다해 세상을 차갑게 만들던 날.

　"엄마…."

나는 그 날, 낯선 세상에 버려졌다.

　"…어디갔어."

　시끌벅적하고 군밤을 파는 아저씨와 엿장수가 돌아다니는 장
터가 아니었다.
　낯선 거리, 낯선 풍경, 낯선 복장의 사람들.
　이상한 회색빛으로 이루어진, 고개를 들어도 지붕이 보이지 않
는 낯선 건물들로 가득찬 이상한 거리였다.

"…버리지 마."

그 잿빛 거리 속에 홀로 남겨진 나는 갓 태어난 아기처럼 울부지지으며 사라진 어머니를 찾아 애타게 추운 겨울의 거리를 돌아다녔다. 투박하지만 따뜻한, 어머니와 나누어끼던 한짝의 벙어리장갑을 보물처럼 손에 쥔 채, 한참을 걸어다녔다.

한 시간, 두 시간, 세 시간….

하지만 해가 저물때까지 이 이상한 거리를 돌아다녀도 어머니의 모습은 털끝하나 찾을 수 없었다. 결국 추위를 이기지 못한 나는 코를 훌쩍이며 주변에 보이는 화장실에 들어갔다.
아무도 없는 화장실.
어두컴컴하던 화장실은 내가 들어서자 환하게 불빛을 밝혔고, 불빛에 밝힌 거울에 비친 나의 모습을 본 나는 그만 벙어리장갑을 끌어안은채 중얼거렸다.

"엄마…."

얼굴에 잔뜩 핀 검버섯과 주름, 늙디늙어 탁해진 눈동자까지
…
화장실 거울에 비친 나의 모습은 기억 속 어머니의 모습을 꼭

닮아있었다. 그리고 기억 속 어머니가 지니고 있던 벙어리 장갑
의 남은 한 짝이 거울 너머에 있었다.

"치매란거… 너무 무섭다…."

거울 속 어머니와 손을 맞잡은 나는 허심탄회한 목소리로 중
얼거렸다.
*하루하루 살아오면서 축적한 모든 기억과 가치관, 이 세상과
가족, 사회에 대한 것들의 연결고리가 삭제되어진다.*
치매가 가져다주는 그 상실은 깨닫고나니 너무나도 무섭고 힘
든 것이었다.

"미안해… 엄마."

나는 나를 언제 잊어버릴지 모를 두려움 속에서, 거울 속 어머
니의 벙어리장갑을 꼭 끌어안았다.

써내려간다는 것

우리는 무한에 가깝게 생각할 수 있습니다. 바다 심해 속 숨겨진 공포감과 미래에 대한 불안과 행복감, 언덕에서 바라보는 밤하늘의 작은 별 하나가 주는 고독함을 말입니다. 하지만 동시에 우리가 생각하고 바라보는 곳에서만 일어나는 일들을 상상해볼 뿐 평상시에 신경 쓰지 않는 곳에서 버려지는 일에 대해서는 상상하기 어렵습니다. 그렇기에 저의 상상이 저 우주에 비할 것에는 되지 못한다고 생각합니다. 하지만 서로 배경도 취미도 다른 5명이서 각자의 이야기를 써내려간 것을 모은 다면 이는 필히 우리의 소우주를 넘는 작은 우주(小宇宙)가 될 것이라는 생각이 듭니다. 우리가 상상하는 글 속 세계가 모여 대우주가 되기를 기원하며 이만 마치겠습니다.

-글모이 1기 부회장 이수민